働く50代の「快眠法則」

スリープコーチ
角谷リョウ

フォレスト出版

はじめに

50代は誰でも睡眠が劇的に悪くなる世代

最近こんなことはありませんか?

- **夜のトイレで目が覚めるようになった。**
- **朝起きたときにあまり疲れが取れていない。**
- **朝かなり早い時間に目が覚めてしまう。**
- **夕方や食後に眠くなってしまう。**

もし、特に今までと生活が変わっていないのに、このようなことがあったとしたら……あなたの睡眠はかなり悪くなっている可能性が高いです。

はじめまして。

快眠コーチの角谷リョウと申します。

毎日数十人から数百人のビジネスパーソンの睡眠改善をサポートしています。今までに約8万人の睡眠改善をしており、今回の想定読者層である50代の方々も、少なくとも1万人はサポートしてきた実績を持っています。対象のほとんどが企業にいらっしゃる「睡眠が十分取れていない」という20代から50代の睡眠不調者です。

企業の睡眠改善サポートに入ると、まずは社員の方々の睡眠状態をリサーチするのですが、10年前は40代の睡眠不調者が最も多かったです。

ところが、近年は傾向がかなり変わってきて、特にコロナ以降は20代と50代に最も睡眠不調者が多くなってきました。

20代の睡眠不調は、そのほとんどが「リズム障害」と呼ばれるもので、睡眠が夜型にシフトしているため、朝起きられなくなっていくタイプで、深刻度にもよりますが、比較的簡単に改善することが可能です。

ところが、50代の睡眠改善のほうはというと、20代の睡眠改善の数倍は難しいのです。本書で詳しくお伝えしていきますが、基本的に50代の睡眠不調の大きな原因が「**老**

化」や「**マンネリ化した日常**」のため、そもそも今の睡眠不調は言ってみれば「普通の状態」なわけなのです。


もう少し具体的な事例を挙げましょう。

50代になると60％の人が夜中にトイレで起きるようになります。60％は10人に6人ですから、もう半分より多いわけです。

さらに50代は人生で最も精神が不安定になる時期です。50代の睡眠不調で最も多いのが「不眠」「なかなか眠れない」「途中で目が覚めてしまう」「朝早く目が覚めてしまう」などの症状です。

これらは睡眠が浅いという部分もありますが、50代をカウンセリングすると「夜や朝に人生に思い悩んでしまう」という回答が多く返ってきます。

これは「**ミドルエイジクライシス**」といって、50代の8割が経験する「人生への絶望」「死への意識」です。

私も50代になるまで多少人生に思い悩むことも、死を身近に感じることもあったのですが、50代になってからのその感覚は40代までとは比較にならないものでした。

具体的にいうと、いったん仕事や家庭でさまざまなことが落ち着き、「今の人生は自分の思い描いた人生だったのか？」「今後の自分の人生は大丈夫だろうか？」という正解のない漠然とした悩みのループに入ってしまうのです。

このループに入ってしまうと、当然のごとく、睡眠もメンタルも不調になっていき、ひどいときには日常にまで悪影響を及ぼしてしまいます。

そして、体も老化して回復力も低下し、今までと同じ睡眠を取っていても朝までに疲れが取れなくなります。

内臓も老化して、食事に気を使っていても、体重や血液の数値が悪化したり、アルコールが翌日に残ったりするようになります。

今、挙げたもの以外にも、まだまだ50代の心と体に関する不調はあります。

年代ごとに人生の幸福度を調査した統計データがあるのですが、その統計によると50代が最も人生の幸福度が低いそうです。

話はかなり脱線しましたが、**さまざまな事情により50代は、睡眠に関して特に悪いことをしていなくても、ほとんどの人が睡眠不調になってしまうのです。**

そしてその睡眠不調の対応策が「これが当たり前」と思ってあきらめるか、睡眠薬に頼るかの二択しかないのが現状です。

でも、ご安心ください。

この本でお伝えするメソッドは、**50代の睡眠不調者のおよそ80%が「睡眠で休養が十分取れている」という睡眠健常者に回復した**という誇るべき実績があります。

私自身も実はこの本を書くにあたり、マインドフルネスなどを学び直し、再発した不眠症や以前からあった依存症を克服することに成功しました。そのノウハウをベースに実践レベルに徹底的に落とし込んでいます。

私自身がこの1年間、自分自身を含めた50代向けに特化したノウハウを実践したうえ、改良された知恵が詰まっています。

ぜひ、睡眠に悩む50代の方には睡眠を改善する第三の選択肢として、できれば本書のメソッドにチャレンジしてみることを強くおすすめします。

50代のリアルな睡眠の問題を、ここまで高確率で改善させる本は他にないと自負しております。

それではぜひ、お付き合いいただけると幸いです。

目次

第1章

50代の睡眠改善で人生の後半戦が決まる

第2章

50代は睡眠改善の前に「夜のトイレ対策」が必須

第3章

50代の睡眠の質は「睡眠環境」が9割

第4章

50代の快眠のポイントは「睡眠圧」にあり

第5章 寝る前に体をリセットする方法

第6章 寝る前に脳をリセットする方法

デザイン　小口翔平＋畑中茜＋青山風音（tobufune）
イラスト　なつ容子
図版制作　二神さやか
ＤＴＰ　キャップス
校正　広瀬泉

50代の睡眠改善で人生の後半戦が決まる

睡眠が悪いと「孤独老人」になって負のリスクが高まる

おそらくこの本を手に取られている方は、最近睡眠が以前より悪くなったと感じている50代もしくは40代後半の方々だと思います。

ご自身で睡眠の悪化を感じている方は、ただの気のせいでなく、本当に睡眠の質が下がっている可能性が高いです。なぜなら実際に毎年睡眠を計測していて睡眠が悪くなっていても、約3分の2以上の人が「睡眠が悪くなった」と感じていないからです。

つまり、**睡眠不調を自覚している方はもうかなり「睡眠が悪化した」と思ってよいでしょう。**睡眠が悪化するケースで一番分かりやすいのは次の2つです。

❶ **どれだけ寝ても寝た気がしない**

❷ **寝ても疲れが取れない**

睡眠不調が引き起こす無意識の働き

逆に睡眠の悪化で起こる気づきにくい変化は、**「周りの人を避けるようになる」**ことです。あるいは反対に**「周りの人に避けられるようになる」**という現象が起こります。

なぜでしょうか？

これは睡眠不調になると「周りの人が自分に敵意を抱いている」と感じるようになるからです。さらにそういった心境の変化は無意識で起こっているため、本人はまったく気づかないことが多いのです。

ですから、当然ながら家族、部下や上司との関係が悪くなります。

さらにあなたがリーダーだった場合、チームのエンゲージメントや士気もかなり低下することも分かっています。

睡眠不調のリーダーを持つと、家族もチームメンバーも非常に不幸です。

または反対に睡眠不調の人に対して、周りの人間が「関わりたくない」と感じるスコアが激増することが分かっています。

当たり前ですが、人間は本能的に睡眠不足の人に関わると「危ない」し「ややこしい」し、あまり有益な会話ができそうにないと思ってしまうのです。

そうなるとあなたは周りを避けるようになり、周りもあなたを避けるようになります。すると、どうなっていくと思いますか？

そうです。「**孤独老人**」まっしぐらです。

40代まではパワフルで人気のあったリーダーが、50代くらいから急に人が寄ってこなくなったり、人望が下がるのは、睡眠不調が原因である可能性があります。

良い睡眠で「スーパーエイジャー」になる

ここまで50代の睡眠不調に対して不安をあおるような内容が続きましたが、ここからは希望的な50代の強みについて書いていきます。

最近、**「スーパーエイジャー」**という言葉が、さまざまなところで使われるようになってきました。

まだマイナーな言葉なので、知らない方も多いと思われますが、この「スーパーエイジャー」というのは、**「実年齢より20歳〜30歳若い脳機能を持つ高齢者」**のことです。

あなたの周りにも実年齢よりかなり若く見えて、かつバリバリと仕事やプライベートを充実させている年配の方も、最近は多いのではないでしょうか？

おそらくその方はスーパーエイジャーです。

以前はそんなお年寄りはあまりいなかったような気がしますが、最近は本当に70〜

80代でも、元気に仕事も遊びも満喫されている方が私の周りにもたくさんいます。以前はこのようなスーパーエイジャーは、ごくまれな存在で、遺伝や突然変異で存在すると思われていました。

ところが、最近ではスーパーエイジャーが激増し、先進国を中心に「どうやったらスーパーエイジャーになれるのか？」という研究が進んでいます。

遺伝ではない後天的なスーパーエイジャーたちには、以下のような習慣や特徴があることが最新の研究から分かってきました。

1. **少しきつめの運動をしている**
2. **楽器を弾いている**
3. **2カ国語以上を日常で使っている**
4. **瞑想(めいそう)している**
5. **年を取ることをポジティブに捉えている**
6. **積極的に人と関わっている**
7. **深い睡眠が取れている**

特に最後の「**深い睡眠**」は、**認知症の主原因であるアミロイドβ（ベータ）たんぱくの除去に最も有効なことが分かっているので、この要素の中でも最重要です。**

本書で50代の方々にお伝えしたいのは、誰もが老化は止められず、睡眠の質はどうしても下がってしまう一方、少しだけ工夫すれば睡眠は改善されて、「明るい未来を作ることができる」ということです。

この機会に睡眠を改善して、私たちもみんなでスーパーエイジャーになって後半の人生も楽しみませんか。

睡眠習慣を変えることができれば、他のすべての習慣も変えられる

私は「睡眠改善のプロ」であると同時に「習慣化のプロ」でもあります。

なぜなら、私がメインでサポートしている方々は「自分で睡眠改善にお金を払っていない、それほど睡眠についての問題意識が高くないビジネスパーソン」で、それでもその方々の90％以上が行動を変えて、80％以上が「快眠」できるまでに成功させているからです。

ただ、どれだけサポートしても、どうしても習慣を変えられない人も一定数います。

さらにいうと、ビジネスパーソン全般の中でも特に50代は、習慣を変えることができる率も、新しい習慣を取り入れる数も最も少ないのが事実です。

その理由は「今までしてきた習慣を変えられないと思ってしまっている」「新しい行動を始めるのがおっくう」「今の睡眠不調をよくも悪くも、しかたがないと受け入れている」など、さまざまです。
その根底にあるのは、次のような誤った思い込みです。

「自分はもうこの年齢なので今さら変われない」

こうした考え方を持っていると、これから続く長い後半の人生が非常に大変です。歳を経るごとに周りも何も言ってくれなくなりますし、これから起こるさまざまな変化に対応できなくなってしまいます。

あなたがとてつもない大金持ちなら問題ありません。

しかし、そうでない人は「変化をあきらめた人」「改善をあきらめた人」と周囲に思われて、あなたには誰も近づいてこなくなります。私自身もそういった方々と関わる時間がもったいないと思うので、お話しすることすらしないです。

一方、「変わりたい」「改善したい」と思っている50代は、（同世代の自分が言うのもなんですが）「美しい」と思います。

睡眠を改善するには「朝の習慣」や「夜の習慣」を変えることが必須ですが、この時間帯の習慣を変えることは日中の時間の習慣を変えるより大変です。

なぜなら、この時間は最も「がんばれない」時間だからです。

今までの習慣を最も変えにくい50代が、最も変えにくい時間帯を変えることができれば、それは他の世代への希望になります。

ただ実際には50代は最も「学習能力」が高い世代なので、この本のステップ通りにチャレンジすれば、むしろ他の年代より高い継続率や成功率が期待できます。

2万人の50代の睡眠を劇的に改善させた「快眠4ステップ」とは？

ここまで読んでいただき、50代で睡眠を変えるか変えないかで、大きくその後の人生が変わることが理解できたと思います。

では、次の章から具体的な実践法に入っていきます。その前に全体の概要をご説明します。

まず全体として4つのステップに分かれていますが、そのステップに進む前に、もしあなたに夜中に目が覚めてトイレに行く「**夜のトイレ問題**」がある場合は、まずはそれを改善していただきます。

その理由は第2章で詳しく説明しますが、夜のトイレ対策は「体内の水分調整」であり、睡眠改善と少し趣旨が変わってくるため同時にしにくいことと、先に夜のトイレ問題が改善していないと睡眠の改善を体感しにくいからです。

もともと夜のトイレ問題がない人、トイレ問題を改善した人が、はじめて以下の4つのステップに進むことができます。

ステップ❶睡眠環境の最適化

まず1つ目は「**睡眠環境の最適化**」です。

50代で睡眠改善を行ううえで有利なのが、50代は経済的ゆとりがあるため、睡眠環境を変えやすいという点が挙げられます。また50代は40代までよりも睡眠環境の影響を受けやすいので、まずはこのステップ❶だけで「快眠」に改善する人も多いです。

ステップ❷睡眠圧を上げる

そして2つ目のステップは「**睡眠圧を上げる**」です。

50代で睡眠が不調になる最大の原因が「睡眠圧の低下」です。

睡眠圧という言葉はあまり一般的ではないので、初めて耳にする方も多いかもしれません。睡眠圧とは、寝るための圧力（力）という意味で、50代は脳も肉体もほとんどの人の睡眠圧が下がっているので、改善すれば効果は絶大です。

この2つのステップまでで、半数以上の人が「快眠」まで改善することが多いです。ただ50代になるといろいろややこしくて、これだけでは「快眠」になれない人もまだまだいます。

ステップ❸ 寝る前に体をリセットする

次の3ステップ目は「**寝る前に体をリセットする**」です。

50代になると体の柔軟性が低下し、昼間に生じた体の歪み（ゆがみ）の回復能力も低下します。要は日中の悪い姿勢が元に戻らない、日中に入った力が抜けにくいということが起こるわけです。

多くの50代が姿勢の悪さをリセットできずに寝ているので、深い眠りに入れず、かつ体の歪みが元に戻らず、悪化していきます。

日中に入った力が抜けきれず、少し力が入ったまま寝てしまうので、朝に硬くなっていたり、疲れやこりや痛みが残ってしまうのです。

実は40代くらいから意図的に体の緊張を取らないと、体に力が入ったまま寝ている状態の人はとても多いです。おそらく身に覚えのある50代の方は多いと思いますので、ぜひこのステップもチャレンジしてみてください。

ステップ④寝る前に脳をリセットする

最後の4ステップ目は「**寝る前に脳をリセットする**」です。

このステップはやるべき人と、やる必要のない人がはっきり分かれます。

夜の時間にはほとんど思い悩まず、アルコールにも頼らずにリラックスしてスムーズに眠れる人にとってステップ④は不要です。

一方、寝る前に悩みがちだったり、心配してしまったり、夜間にネットやゲームが止まらなかったりなど、なかなか脳がリラックスできていない人は必ずこのステップにチャレンジしてください。

この「脳をリセットする」ということについては、さまざまな関連書籍が出ていま

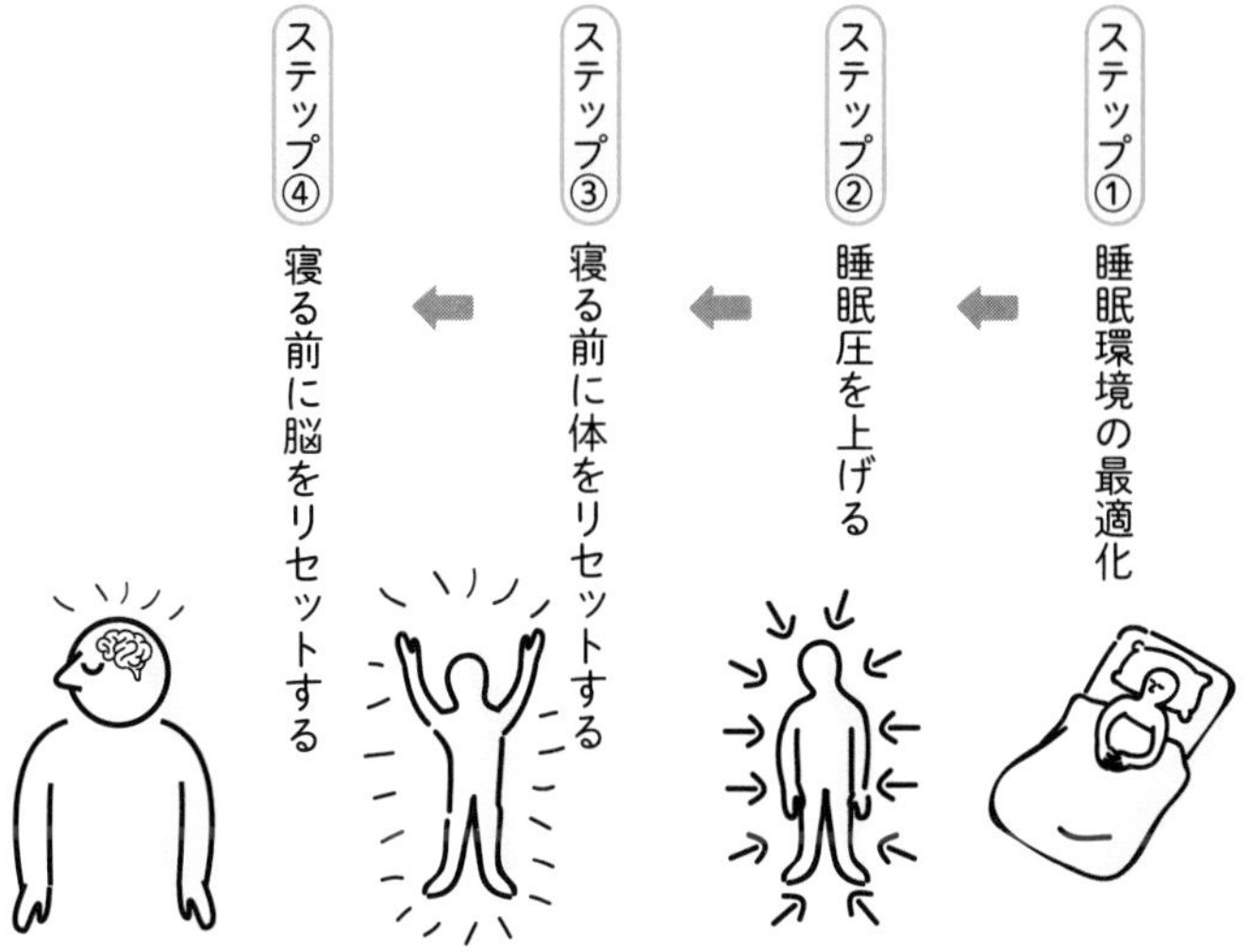

ステップ① 睡眠環境の最適化

ステップ② 睡眠圧を上げる

ステップ③ 寝る前に体をリセットする

ステップ④ 寝る前に脳をリセットする

すが、正直言って本を読んだだけで実際に実行できたり、成果を感じられる方法にほとんどお目にかかったことがありません（素晴らしい内容の本はたくさんあるのですが、実践しづらいのです）。

このステップでは実際に2万人以上の50代の方に脳のリセット効果があったやり方を紹介します。

すべてのステップにおいて、「お手軽」と「本気」のレベルに分けて、それぞれ効果があったランキングトップ3の実践法を紹介していますので、かなり成功率が高くなっていると思います。

コラム

「本当に使える習慣術」

いわゆる「習慣術」は、この世にたくさん存在しますが、本当に使えるのはごく一部です。

世の中には睡眠を改善するための情報がたくさん溢れています。おそらく睡眠に限らず、どの分野でも少し検索したり、YouTubeなどを見れば、誰でも情報や知識を手に入れることができる時代です。

しかし、自分の生活の中に習慣として取り入れることができる人は、ほんの一部です。いわゆる**「習慣化」というスキル**が必要となるのです。

この「習慣化」と呼ばれるものだけでも60種類以上あると言われ（『理想の人生をつくる習慣化大全』より）、私も40以上の習慣術を試してきました。

最近では「習慣化」「行動変容」というジャンルの研究が進み、科学的にどうすれば成功率が上がるのかが分かってきました。

もちろん遺伝や性格、幼少の頃の過ごし方などで習慣化の成功率は変わりますが、そういった要素よりもはるかに**「自分に合った習慣術」**に出会えるかどうかが成功率に大きく影響します。

実際に今まで習慣化が苦手だった人でも、自分に合う習慣術を活用したところ、80%以上の方が複数の習慣化に成功して継続できている実績があります。

改めてここでポイントとなるのは、**「自分に合う成功率の高い習慣術」**を見つけることです。

それをいったん身につけることができれば、睡眠改善以外にも応用が可能です。というより、睡眠改善は優先順位が低いことが多く、また朝や夜など意志力が弱く、実行能力が低くなる時間の習慣化なので、実は習慣を変えるにはかなり難易度が高いのです。

今回、コラムで紹介していく5つの「習慣術」は、科学的にも実践の現場でも、成功率が非常に高いものばかり選んでいます。

特に今まで習慣化に成功したことがない人でも、かなり高い成功率を誇ります。

以下のコラムを読んで、自分に合うと思える「ビビッ」ときた習慣術を実践してみてください。

❶ イチロー式習慣術
❷ スタンフォード式習慣術
❸ アプリ活用習慣術
❹ ミニマム習慣術
❺ 環境設定習慣術

この5つは、どれもステップ通り行えば、80％以上の高い成功率を誇ります。併用もかなりおすすめです。

ただしポイントがあります。

最初は必ず「書いてある通り」に行ってください。「なんか物足りない」「自分はこうした方が良い」という我流は一度捨てていただき、何度か成功したらアレンジしてみてください。このポイントは非常に重要なので、絶対に忘れないでください。

第2章

50代は
睡眠改善の前に
「夜のトイレ対策」
が必須

夜のトイレが急増する50代が抱えるリスク

50代の睡眠改善をしていると、必ず出てくるのが「夜にトイレで目が覚めてしまって困っている」という相談です。

実は50代になると、6割の人が夜に1回以上、2割の人が2回以上トイレに行きます（**日本排尿機能学会の研究より**）。

ですから夜にトイレに行くことは少数派ではなく多数派、もっといえば50代の夜のトイレ問題はスタンダードとも言えるわけなのです。

夜のトイレが苦にならず、すぐ寝られる人はまだ良いのですが、**実は夜のトイレにはさまざまなリスクがあります**。

夜のトイレが改善されないと、仮に睡眠そのものが改善していても、改善されていない気がするので、先に改善しておいた方が得策です。というわけで、まずはじめに、

夜間頻尿の頻度（男性）

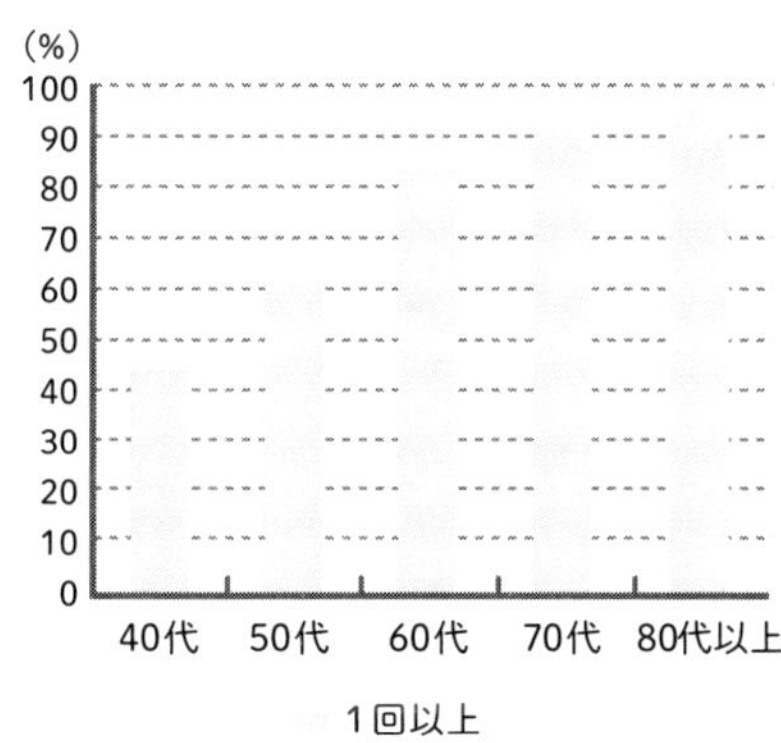

（本間之夫ほか、排尿に関する疫学的研究、日本排尿機能学会誌、2003;14:266-277. を期に作図）

夜間頻尿（夜に2回以上トイレに行く）の3つのリスクを学んでいきましょう。

リスク❶ 慢性的な睡眠不足になる

夜間頻尿によって「寝つきが悪くなって」「中途覚醒（かくせい）」するので、睡眠不足になりやすくなります。また男性では3回以上、女性では4回以上になると、生活への支障が深刻になると報告されています。

リスク❷ 死亡率アップ

夜間トイレに行く回数が多いほど、死亡率が高いという研究結果が出ています。**5年後生存率が約2倍違う**という衝撃的なレベルです。

リスク③ 転倒リスクの増大

夜間頻尿だと転倒リスクも骨折リスクもどちらも2倍になるという研究結果があります。夜中のトイレは寝ぼけているので、かなり危険なのです。

夜間頻尿は以上のリスクがあります。睡眠の質が仮に上がっても「夜のトイレ」が改善されていないせいで、実際に睡眠スコアや睡眠の質が上がっても「全然改善されている感じがしない」という方が多いので、まずは夜のトイレ対策から始めていきましょう。

なぜ、50代になると夜のトイレが増えるのか？

50代になると夜に6割の方が1回、2割の方が2回以上トイレに行くという話がありましたが、そもそもなぜそんなにトイレに行くようになるのでしょうか？

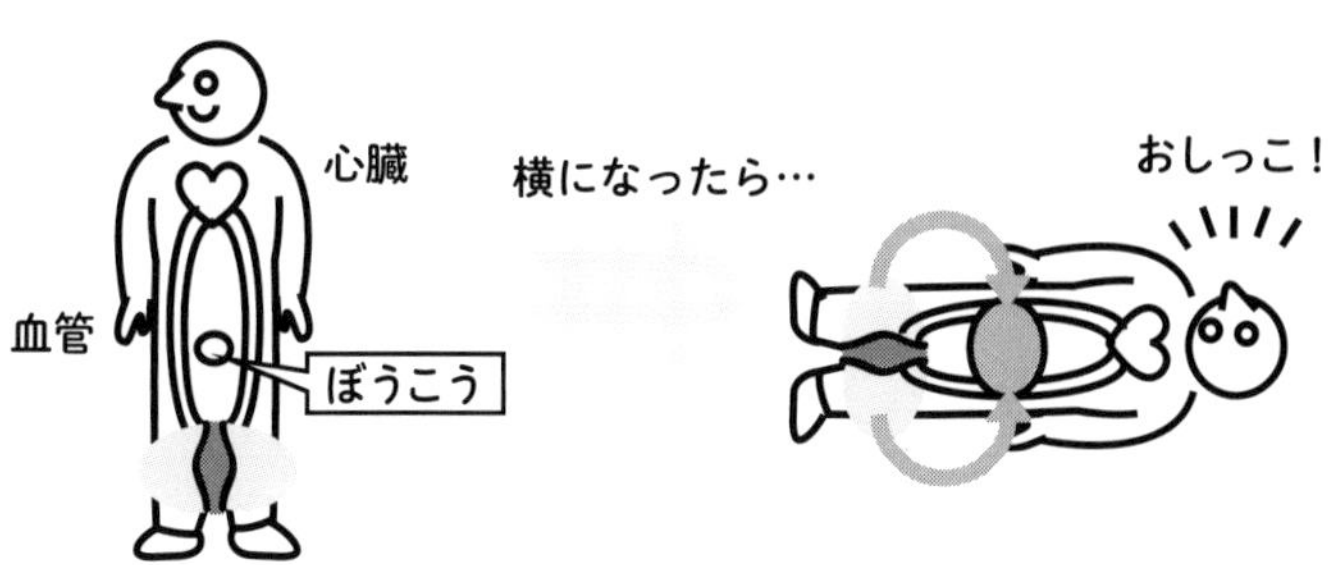

私はドクターでも泌尿器科の専門家でもありませんが、一般的に以下の3つが原因だと言われています。

❶ 排尿を我慢するホルモンが減ること

❷ 下半身に水分が溜まりやすく、寝ると中央に戻ってくるようになる

❸ 排尿機能が下がる

そのほかにも理由があるようですが、主にこの3つが原因です。

50代の夜のトイレ問題の改善策

夜間頻尿の問題に対しては、日本排尿

機能学会から「夜間頻尿診療ガイドライン」という公式の改善方法が出ています。

これは明確に効果のある対策が記載されていますので、本気で改善したい方や症状が深刻な方は参考にしていただくことをおすすめします。

効果はてきめんに出ると思います。

ただし、やるべき行動のハードルが少し高いのが難点です。

実際には「ちょっと困っているくらい」「そこまで本気で改善するほどでも」という方々が大半かと思われますので、そういった方々はこれから提案する3つの夜のトイレ対策から、ご自身でできそうなものを選んで、トライすることから始めてみてはいかがでしょうか。

夜のトイレ問題を改善する3つの対策

私は今まで2万人以上の50代の方の夜のトイレ改善のサポートをしています。その方々の多くは会社員で、みなさんお金をかけて診察に行くことはありません。それほど深刻でなかったり、改善意欲も高くないケースが大半です。そんな方々でも無理なく続けられて、夜のトイレ回数が減る対策を3つご紹介します。

対策① 寝る前の水分調整
対策② トイレ促進運動
対策③ 体を温める

夜のトイレ対策①
寝る前の水分調整

それぞれ詳しく解説しながら、具体的対策を講じていきましょう。

まず基本となるのが、この**「寝る前の水分調整」**です。

「寝ている間に汗と呼吸で水分が減るので、寝る前に水をコップ1杯飲みましょう」という健康法をされている方がとても多いようです。

これはたしかにそのとおりなのですが、50代の方が寝る前にコップ1杯の水を飲むと、かなりの確率で「夜のトイレ」に行きたくなります。筋肉を落とさないようにプロテインを寝る前に飲む方がいますが、この場合も夜のトイレにつながります。

では、どうすればよいか？

寝る1時間前までに水分補給は済ませておいて、寝る前は「うがい程度」にすると良いと思います。

プロテインを飲まれる方は1時間前に前倒ししても改善しない方が多く、2時間前までに摂るようにすると、改善効果を感じる方が多いようです。

次にトイレに行きたくなる作用のある飲み物にも注意が必要です。代表的なものは**カフェイン**と**アルコール**です。

特にカフェインは、50代になると、20代と比べてカフェインによる反応時間が2倍ほど伸びるという研究報告もあるので、できれば夜はノンカフェインの飲み物をおすすめします。

アルコールについて本書では本格的な対策はしませんが、**遅い時間のアルコールはできるだけ濃いウイスキーなどにされることをおすすめします。**

ビールやチューハイなどのアルコールが薄く、炭酸水かつ糖質が入っていると、ほぼ確実に夜のトイレのお世話になってしまいます。

夜のトイレ対策②トイレ促進運動

夜の水分調整の次は「**トイレ促進運動**」です。

適当な言葉がないので、私が作った造語です。

ここでは下半身に水分を溜めにくくする運動、さらに「おしっこ」を出す機能を上げるための運動をご紹介します。

下半身に水分を溜めないための「足上げ」

まず下半身に水分を溜めない、また溜めにくくするための運動として、「**足上げ**」があります。これはただ、足を高くするだけです。もし可能であれば足を上げてゆらゆらしてください。

足を 10 センチほど高く上げて
30 分横になる
（30 センチ上げる場合は 10 分くらいで OK）

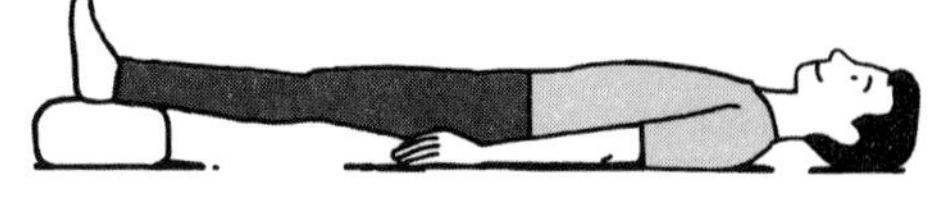

それだけでかなり下半身の水分が上がってきて、寝る前にトイレに行きたくなります。ただし、寝る1時間前にトイレに行くと、むしろ夜のトイレに行きたくなるので注意してください。

おしっこに行く機能を高める運動

次はおしっこに行く機能を高める運動を紹介いたします。

それは**スクワット**です。運動の中で最も全身の筋肉に効き、ホルモン分泌の低下を防ぐ最強のトレーニングです。

スクワットは、1つだけ運動を取り入れるとするなら、トレーナー100人中100人が選ぶ種目です。もちろん夜のトイレ回数を減らすにもうってつけです。

夜のトイレ対策③ 体を温める

では最後の「**体を温める**」です。

基本的に体や部屋が温まると、トイレの回数が減ることが分かっています。

誰もが経験上、トイレに行きたくない寒い冬場の方が、かえってトイレに行きたくなるような経験があるのではないでしょうか？

ここで大事なポイントが「体を温める」です。

エグゼクティブの多くが実践する「腹巻き」

体を温めるための対策で最初におすすめするのは「**腹巻き**」です。

エグゼクティブやトップアスリートで腹巻きをしている人は実は多いです（公表し

ていませんが）。

腹巻きをすることで特に内臓が温まります。

科学的に証明されているわけではないですが、腹巻きをすることで、多くの50代の方の夜のトイレ回数が改善されます。それだけでなく、睡眠の質や寝起きの疲労感が軽減したという声も多く聞かれます。

ただし、難点は「腹巻き」のイメージが受け入れられない人がかなりの確率でいることです。「腹巻き＝ダサいおじさん」「バカボンのパパ」といった印象があり、なかなかトライできないのです。

でも、最近は多くの腹巻きが、かつての「ザ・腹巻き」といったデザインや色ではなくなってきています（むしろバカボンのパパのような腹巻きを見つけるほうが難しいです）。

おすすめは**「綿」の腹巻き**です。

化学繊維系よりも少し値段が高いですが、肌触りもよく、保温性も高いです。

腹巻きよりもっとお手軽なのが**温かいパジャマ**です。お腹の部分を厚めにしているパジャマもあります。

腹巻きに抵抗がある人はぜひ「温かいパジャマ」がおすすめです。

「腹巻き」がダメなら室温を上げる

最後は**「室温を上げる」**になります。

産業医科大学と北九州市立大学が1300人を対象に調査したところ、室温を2・5℃上げると、過活動膀胱（トイレにしょっちゅう行きたくなる症状）の有病率がなんと4割も減ったという研究結果があります。

特に冬ですが、部屋を暖かくして寝ると、トイレの回数が減ると現場でよく聞きます。

コラム

「イチロー式習慣術」

本当に使える習慣術で、まずはじめに紹介するのは「**イチロー式習慣術**」です。

今回のコラムでご紹介する習慣術のなかでは一番成功率が低い習慣術です。

では、なぜ最初にご紹介するのかというと、この習慣術は20〜30代だと成功率が低いのですが、**50代だと成功率が一気に上がる習慣術**なのです。

本編でも書きましたが、50代は「学ぶ能力」がピークになる世代です。

この学ぶ力を最大限活かすのが「イチロー式習慣術」なのです。

イチローは、メジャーリーグのトップ・オブ・トップまで上り詰めた人物です。

そんなイチローにはいろいろな逸話があるのですが、その中でも「**イチローは毎朝カレーを食べる**」という伝説があります（実話です）。

イチローは天才なので、ただカレーが好きだから毎日食べていたわけではありません。実はイチローが毎日カレーを食べていた理由は「**1つの新しい習慣が自分に合うのか、合わないのかを見極める**」ためにしていたのです。

要は新しいことをいくつも取り入れると、何が実際に効果があったのか、またどんな効果があったのか分からなくなってしまいます。それを避けるための行動なのです。

1日がルーティン化（硬直化）している50代には、うってつけの習慣術といえるでしょう。

私は基本的にこの習慣術をベースにしています。

この習慣術は基本的に次の3ステップです。

ステップ❶「身につけたい習慣を1つ決める」
ステップ❷「1週間やってみてその効果を判断する」
ステップ❸「継続するなら、どの時間帯にどれくらいするか最適化する」

この3ステップを永遠に繰り返していきます。

ただし、忙しい時期にはしないことをおすすめします。
この習慣術には向き不向きがかなりあるので、次のような人に向いています。

「自分に合う習慣を探求したい人」
「勉強・学習が基本的に好きな人」
「スピードより着実に習慣を変えたい人」

私も若い頃は、複数の習慣や環境を変えて、人生を激変させたいタイプだったのですが、40代くらいから、本当に役立つ習慣を確実に身につけていくスタイルに変わりました。少し時間がかかる感じがしますが、実はこのやり方の方が、結果的に前に進んでいる感覚が得られます。

第3章

50代の
睡眠の質は
「睡眠環境」が
9割

50代の睡眠を改善するファーストステップは「睡眠環境の最適化」

スタンフォード大学で世界最初の睡眠研究所「スタンフォード大学睡眠整体リズム研究所」の設立に関わり、初代所長になったウィリアム・C・デメンド博士は非常に正直でユニークな方でした。

寝具メーカーから、「一般的なマットレスと高級マットレスで、どれくらい睡眠の質が上がるのか」という実験の依頼をされたのに、勝手に「コンクリートの床」のケースを加えて、3つの条件で実験を行いました。

結果はなんと「一般のマットレス」「高級マットレス」「コンクリートの床」のどれもほとんど睡眠の質が変わらないことが分かり、デメンド博士はそのことを発表してしまい、寝具メーカーから大目玉を食らいます。

20代までは寝具で睡眠の質は変わらない

ところが後年、被験者が10代～20代の若者だったのが原因であると著書で書いていて、**実際に年齢が上がるほど、マットレスやシーツ、パジャマなどが睡眠の質に影響すること**が分かってきています。

その理由は体のクッション機能や肌の油分の低下などにより、特に体に触れている部分の悪影響を受けやすくなるからです。私も若い人には、あまり寝具をはじめとする睡眠グッズの購入はおすすめしないのですが、50代の方には積極的におすすめしています。

「行動」ではなく、まずは「環境」を変えてみる

50代になると、特に男性は変化を嫌い、今までと同じ環境で同じ行動をするようになります。10年前ならその環境と行動で、まあまあの睡眠が取れていた可能性が高い

のですが、50代になるとおそらく40代のときと同じ環境と行動では、質の高い睡眠が取れていない可能性の方が高くなります。

人は環境に適応する生き物なので、仕事や住む場所が変われば、行動を変えることはたやすいのですが、同じ環境だとなかなか行動を変えることができません。

「質の良い睡眠環境」と「質の良い睡眠にするための行動」の両方が必要なのですが、環境を変える方がはるかに簡単です。なぜなら1回のアクションで済みますし、モノを買うのは「楽しい」行為だからです。

そして「睡眠環境」を変えることができれば、睡眠の質が上がるうえに「質の高い睡眠になる行動」へのハードルが一気に下がり始めます。

したがって、まずやるべきことは**「睡眠環境の改善」**からなのです。

「睡眠ビジネス」のカモにならない

ネットを検索すれば、「睡眠改善効果」をうたった寝具やツールがたくさん出てきます。寝具を扱うショップの店員さんに質問すれば、必要以上に高価な商品をすすめてくるでしょう。

基本的に人間はお金を使いたがる傾向があります。他の娯楽や健康に悪いものにお金を使うくらいなら、睡眠にお金をかけた方が良いです。とはいえ、大切なお金ですので、本当に効果の高いグッズから試した方が、時間とお金の節約になります。

私は毎日多くの人の睡眠改善をサポートしていることもあり、寝具やサプリなどを「売ってほしい」「紹介してほしい」という案件依頼が月に数件は来ます。

でも、ご安心ください。

私は本当に良いものや、クライアントに効果があるものは無料で紹介しますし、逆に効果があまりないものは、いくらお金をいただいても紹介しない主義です。

本書では2万人以上の50代の睡眠改善をサポートしてきて、本当に効果があった方法しか紹介していません。さらにランキング形式にして「効果があった」「評判が良かった」順に掲載していますので、安心して参考にしてください。

セミナー受講生2万人に聞いた
「これやってみたら、めっちゃ睡眠よくなった！」

第1位

光環境の改善

こんな人にお勧め

- リビングや寝室の天井照明が「白系」の光
- リビングや寝室の天井照明に「光の強さ」の調整機能がない
- 寝る前まで天井照明を使っていて間接照明を使っていない

50代が睡眠環境を変えて一番効果を感じやすいのは「**光環境の改善**」です。日本は世界でもダントツに夜が明るい国です。分かりやすい例で言いますと、駅や街路などの明るさは、欧米と比べて40%以上明るいという研究報告もあります。コンビニやスーパーの店内の明るさの基準も欧米に比べて高いです（欧米人は瞳(ひとみ)のメラニン色素が少なく、光に弱いという理由もありますが）。

さらに日本の家の中の照明の基準（最低500ルクス）も、光が強すぎて睡眠に悪影響を与えます。**寝る1時間前に500ルクスの照明を浴びていると、睡眠ホルモンのメラトニンが40%近く低減してしまう**という報告もあります。

家の外も中も光の明るさが強いので、効果が出やすいのは当然かもしれません。人間は光によって目覚め、光が減ることで眠くなりますので。

さらに日本は海外の電球文化（1960年代から主流）と違い、蛍光灯文化（1970年代から主流）がベースとなっているため、照明の色は白色系がいまだに主流です。

電球色（暖色系）に比べて蛍光灯（白色系）は、メラトニン分泌が低下することが分かっているので、日本では照明を工夫することが、快眠への最も有効な近道となるのです。

光環境の改善

お手軽コース

- ☑ 寝る1時間前に天井照明の明るさを落とす
- ☑ お手軽な間接照明を購入する
- ☑ 蛍光灯を白色系から暖色系に変える

まずお手軽に照明でできることは、**天井照明を寝る1時間前に少し明るさを落とすこと**です。最近の照明のほとんどが、多段階で明るさ調整できるタイプが多いので、目安としては「少し暗いかな」と感じるぐらいをおすすめします。

最初は暗く感じますが、多くの人は寝る前に複雑な作業はしないので、問題はありません。もし本を読んだり、勉強をする場合は**デスクライト**を活用してください。

ＥＣサイトなどで検索すれば、１０００円ちょっとで買える商品がいくつも出ていますので、お手軽に導入できます。

目にも睡眠にも優しいうえ、集中できますので、一石三鳥です。

また少し手間はかかりますが、**蛍光灯を白色系から暖色系に変える方法**もあります。

ただし、このやり方だと夕方以降のリラックスや睡眠の質を上げるのには有効ですが、日中の作業の集中力が落ちたり、違和感を持ったりする場合があります。

寝室だけならおすすめですが、仕事や勉強もする部屋であれば、次の「本気コース」で出てくる「照明自体を変える方法」をおすすめします。

光環境の改善

本気コース

- ☑ 高性能天井照明を導入する
- ☑ 高性能デスクライトを導入する
- ☑ 自然なゆらぎを再現できる間接照明を導入する

本気コースでまずおすすめしたいのが、**高性能な天井照明**です。高性能といっても今ではスタンダードになっている調光調色機能がついている照明です。

以前は数万円出さないと買えませんでしたが、今では一流ブランドでも1万円程度、コスパの良いアイリスオーヤマなどのブランドだと3000円代から購入が可能です。

さらに余裕がある方には、**時間によって照明の色や強さを自動で設定できるタイプ**をおすすめします。このタイプは朝は光目覚ましとして使えるだけでなく、まったく操作をせずに、日中は集中モードの光、夕方から少しずつ暖色にして光量を自然な感じで落としていけます。

次におすすめが**高性能デスクライト**です。目に優しく見やすいタイプのデスクライトです。まずは天井照明からですが、デスクライトも勉強や本を読まれる方だと、睡眠が改善される実感を覚える方も多いのでおすすめです。

最後は間接照明でも「**自然な揺らぎがあるタイプ**」の導入です。焚(た)き火やキャンドルの炎の揺らぎにはリラックス効果があることが分かっていますが、寝室で火を使うのは火災の危険が伴います。そこで登場するのが、自然な揺らぎを表現できる間接照明です。バルミューダや無印良品のＬＥＤランタンが有名です。

セミナー受講生2万人に聞いた
「これやってみたら、めっちゃ睡眠よくなった！」

第2位

マットレスの改善

こんな人にお勧め

- 今使っているマットレスの厚みが10センチ以下の人
- 朝起きたときに体に痛みがある人
- 同じマットレスを10年以上使っている人

50代が睡眠環境を変えて2番目に改善効果を感じるのは**「マットレス」の改善**です。実は私は睡眠改善にお金をたくさんかけることを推奨するタイプではありません。30代より若い方はマットレスを変えても、改善効果があまり得られないというデータもあるので、ほとんど推奨することはありません。

しかしやはり50代以降になると、寝ている間に体や脳を回復する能力が衰えているため、多少高価なグッズを買っても十分元が取れます。

その代表格が**マットレス**です。

ただし、マットレスを購入・買い替えするには注意が必要です。多くの寝具メーカーは「睡眠ブーム」に乗じて、一般の方でも数十万円するマットレスを購入してしまう接客マニュアルでみっちり研修を受けているからです。**有名人や有名アスリートが使っているからといって、必ずしもあなたに合っている保証はどこにもありません。**

実はあまり大きな声では言えないのですが、マットレスの原価はそれほど高くありません。某有名なマットレスメーカーは、余った釣り糸の再利用という話は有名です。

もちろん企業努力で性能や価値を上げ続けている姿勢には感銘を受けますが、読者のみなさまには、性能以上のお金を出さなくて済む情報をお伝えします。

マットレスの改善

お手軽コース

- ☑ 段ボールを敷布団の下に敷く
- ☑ すのこを敷布団の下に敷く
- ☑ 薄いマットレスを今のマットレスに重ねる

まずお手軽にマットレス・敷布団系（以下マットレスで統一）でできることは、今のマットレスに少し手を加えることです。一人暮らしなどで周りの目が気にならない方であれば、**マットレスの下に段ボールを敷くこと**をおすすめします。意外かもしれませんが、年をとると床からの冷たさが眠りの質を下げていることがあります。また若いときには感じなかった、床に当たる痛み・感覚（これを床付き感と言います）が、50代になると眠りの質を下げてしまいます。

50代になったら、今までのマットレスより「柔らかく」「暖かく」「厚く」することがポイントです。このポイントを押さえておけば、それほどお金をかけなくても対策することができます。

その中で最もお金がかからない方法としてダンボールが最適なのです。段ボールを敷くだけで、かなりのクッション性と床からの冷たさを防ぐことが可能になります。ダンボールの見栄えが気になる方は「**すのこ**」をおすすめします。マットレスはカビが生えやすいのでカビの防止にもなります。

最後は**安価で薄手のマットレスを下に重ねる方法**です。今のマットレスにほんの少しでも厚みを加えると、まったく違うレベルの寝心地になります。

マットレスの改善

本気コース

- ☑ 厚さが10センチ以上の高級マットレスを購入する
- ☑ ニトリなどのコスパの良いブランドの最上級マットレスを購入する
- ☑ 高級寝具メーカーの廉価版マットレスを購入する

本気コースでまずおすすめしたいのが**マットレスの買い替え**です。

このジャンルは冒頭でも書いた通り、「寝ている時間で割ったら安い」「人生の3分の1は寝ている時間ですよ」といった営業トークに乗せられて、つい10万円以上、時には数十万円のマットレスを買ってしまいがちです。

本書ではそこまでお金をかけずとも、確実に改善効果が感じられるマットレスの選び方のポイントを解説します。

まず押さえておきたいのが「**厚さ**」。10センチ以下だと、どれだけ高性能でも50代の睡眠問題を解決するには不十分です。逆に言えば厚さが10センチ以上あれば、よほど粗悪品でない限り、改善効果が感じられる可能性が高いと言えます。

残りはやはり「**寝心地**」。これには各人の好みがあるとはいえ、やはり高級になればなるほど、寝心地は良くなっていくと感じる方が多いのも事実です。ただ、マットレスの世界は車と似ていて、あるレベルからは値段ほどの違いは感じないものです。

それなりにお金を出しても失敗のないマットレスの選び方として、まずはニトリなどのコスパの良いブランドのマットレスを購入することです。

また反対に**高級ブランドの廉価品**も一考の価値ありです。

セミナー受講生2万人に聞いた
「これやってみたら、めっちゃ睡眠よくなった！」

第3位

目覚ましの改善

こんな人にお勧め

- ベッド・布団に入ってもスマホを触ってしまう人
- 夜中に起きるとなかなか寝付けない人
- 朝起きづらい人

手軽かつ劇的に睡眠の改善効果が感じられるツールの代表が「**目覚まし時計**」です。

就寝と起床という、睡眠にとって最も重要なタイミングに関わるツールなので、眠りの深さや目覚めの快適さに思いっきり直結してきます。

ほとんどの人が「寝る前のスマホ」が睡眠に良くないことを知っていながら、やめられません。

最近ではスマホのブルーライト対策として、ナイトモードにしたり、ブルーライトをカットするといった工夫をされる方が増えています。

もちろん多少の睡眠改善効果がないとは言いませんが、**スマホが睡眠に良くない理由は、ブルーライトよりも、SNSやニュース、ゲームなど、コンテンツからの脳への刺激の影響です。**

当たり前ですがコンテンツ制作側は「もっと観てもらおう」と思って制作しているわけですから、本来寝るべき時間に寝られなくなるということが、スマホを夜にいじってしまう最大のデメリットになるわけなのです。

目覚ましの改善

お手軽コース

☑ 携帯電話の目覚ましを枕元以外に置く

☑ 携帯電話の目覚ましをベッドから離した所に置く

☑ 秒針の音が静かな1000円程度の目覚まし時計を購入する

まずお手軽に始める方法として、スマホは目覚ましとして使うけど、**枕元での充電は行わない、または充電しても枕元から50センチ以上離してみること**をおすすめします。

スマホを寝る前まで使ってしまうことの抑制効果はほとんどありませんが、電磁波の影響を下げることができます。

スマホの電磁波については、基本的に人体への影響はないと定義されていますが、WHOの下部組織であるIARC（国際がん研究機関）の発がん性評価では、上から3番目のグループ2B「発がん性があるかもしれない」（車の排気ガスと同じカテゴリー）に分類されています。

少しお金はかかりますが、1000円程度の秒針の音が小さい目覚まし時計もおすすめです。

ここでポイントとなるのが**秒針の音**です。

若いうちは目覚まし時計の秒針の音なんて、睡眠にはほとんど影響しないのですが、50代になるとかなり気にされる人が増えますし、実際に入眠時間が長くなったりするケースもあります。

目覚ましの改善

本気コース

- ☑ 光目覚まし時計を購入する
- ☑ カーテン自動開閉機を購入する
- ☑ アレクサ対応のエコースタジオを購入する

本気コースでまずおすすめしたいのが「**光目覚まし時計**」です。

睡眠の質が上がるというよりは、目覚めが劇的に変わります。人はもともと朝日とともに目覚めるようにできています。光がだんだん強くなりながら、自然に目覚めていくのが理想の目覚めなのですが、光目覚まし時計はそれを1年中同じ時間で、どんな天候でも再現してくれるというまさに神アイテムです。

次は少しお値段が上がりますが「**カーテン自動開閉機**」もおすすめです。

カーテンそのものに自動開閉機能がついているものは非常に高価ですが、カーテンに取りつけるタイプであれば、1万円以下で購入が可能です。

基本的には遮光カーテンにして開閉するのがベストです。

最後はお金に余裕がある人向けですが、アマゾン史上最も音質が良いとされるスピーカー「**アレクサ対応のエコースタジオ**」を使って好きな音楽で起きる方法です。

私は実際の音は聞いたことがないのですが、スマートホーム化して目覚ましに使っている人たちの評価は非常に高いです。スマートスピーカとは思えない音質で、目覚めが良くなったと言います。音楽で起きたい人にはおすすめの選択になります。

セミナー受講生2万人に聞いた
「これやってみたら、めっちゃ睡眠よくなった！」

第4位

枕の最適化

こんな人にお勧め

- 枕カバーを洗濯しない人
- 朝起きたときに首や肩が痛い人
- いびきがある人

睡眠の世界で「**枕難民**」という言葉があります。

さまざまな枕を試したり買ったりしているのに、自分にぴったりの枕が見つからない人たちのことで、睡眠改善の現場では確実に一定数います。

マットレスやパジャマであれば、店頭で触ってみたり、横になってみれば、自分にそこそこ合うものが見つかります。しかし、枕に至っては、お店では自分に合うような感じがしても、数日するとフィットしない感じがしたり、以前より首の調子が悪くなったりすることがあります。

その理由としては、マットレスとの相性だったり、上向きではなく横向きになるときに合わなかったり、いろいろあるのですが、一概には言えません。

また意外にも、**枕は布団よりダニが多く住んでいます**。寝ている間に頭から出るフケが栄養になるからです。

枕は快眠にはかなり重要なのですが、見落とされがちです。気にして買い替えようとしても、なかなか自分に合う枕を見つけることが困難なのです。

さらに枕はいびきを減らすように工夫もできますので、この機会に自分に合う枕を見つけてみましょう。

枕の
最適化

お手軽コース

- ☑ 枕カバーを洗濯する
- ☑ 枕付きのムック本を買う
- ☑ 品質の良い枕カバーを買う

まず最も簡単な方法としておすすめなのが、**枕カバーを洗濯すること**です。先ほど述べたように、枕や枕カバーにはフケをエサにしてすくすく育ったダニがたくさんいます。まずは洗濯しましょう。

できれば天日干しではなく、乾燥機でダニを完全除去することをおすすめします。これだけでほぼダニの除去が可能です。

次に少しお金がかかりますが、**枕付きのムック本**がおすすめです。書店で販売しているムックのおまけに枕が付いている類の商品です。

値段は安価ですが、「首こりが半分以下になった」「今までの枕で一番良い」という感想が多く、意外と評判は良いです。

最後は**枕カバーの品質**です。枕カバーは常に頭や顔に触れるところなので、良い素材にすると眠りの満足度に大きく影響します。選択基準は「自分の肌が触れたときに心地良いと感じるかどうか」が目安です。

私は2000円くらいの今治タオルの枕カバーを気に入って使っていますが、しっとり系が好きな人は、**シルク素材の枕カバー**が最も人肌に優しく、水分量も人体に近いので、人気があります。

枕の最適化

本気コース

- ☑ 枕をオーダーしてみる
- ☑ 高性能枕を買う
- ☑ ニトリの枕を買う

本気コースでまずおすすめしたいのが、**枕を自分用にオーダーで作ってみること**です。数年前までオーダー枕の相場は2万〜3万円だったのですが、今では1万円以下で作れる店がスタンダードになってきました。

ほとんどの店に枕の専門家がいて、専用の測定器があり、あなたに合った高さを調べてくれます。素材も各種取り揃(そろ)えていて、寝比べて選ぶことができるようになっています。店や枕のグレードにもよりますが、再調整やメンテナンスを一定期間無料でしてくれるケースもあります（永年無料という店さえあります）。

実はこれにはカラクリがあって、オーダー枕は高級寝具店の「入口商品」という位置づけで、まずは安価に試してもらって信用度を上げて、親近感を抱かせる狙いがあります。

最後は意外にも「**ニトリの枕**」です。

ホテルクオリティの枕が破格の値段で購入できます。少し枕の高さが高めなので、女性にはおすすめできませんが、高めが最適な方には最強の枕です。

現時点で枕のコストパフォーマンスはニトリが一強です。

セミナー受講生2万人に聞いた
「これやってみたら、めっちゃ睡眠よくなった!」

第5位

スマートウォッチ

こんな人にお勧め

- 自分の睡眠を可視化したい人
- 数字を目安にして睡眠改善したい人
- 最新のガジェットや話題のツールが好きな人

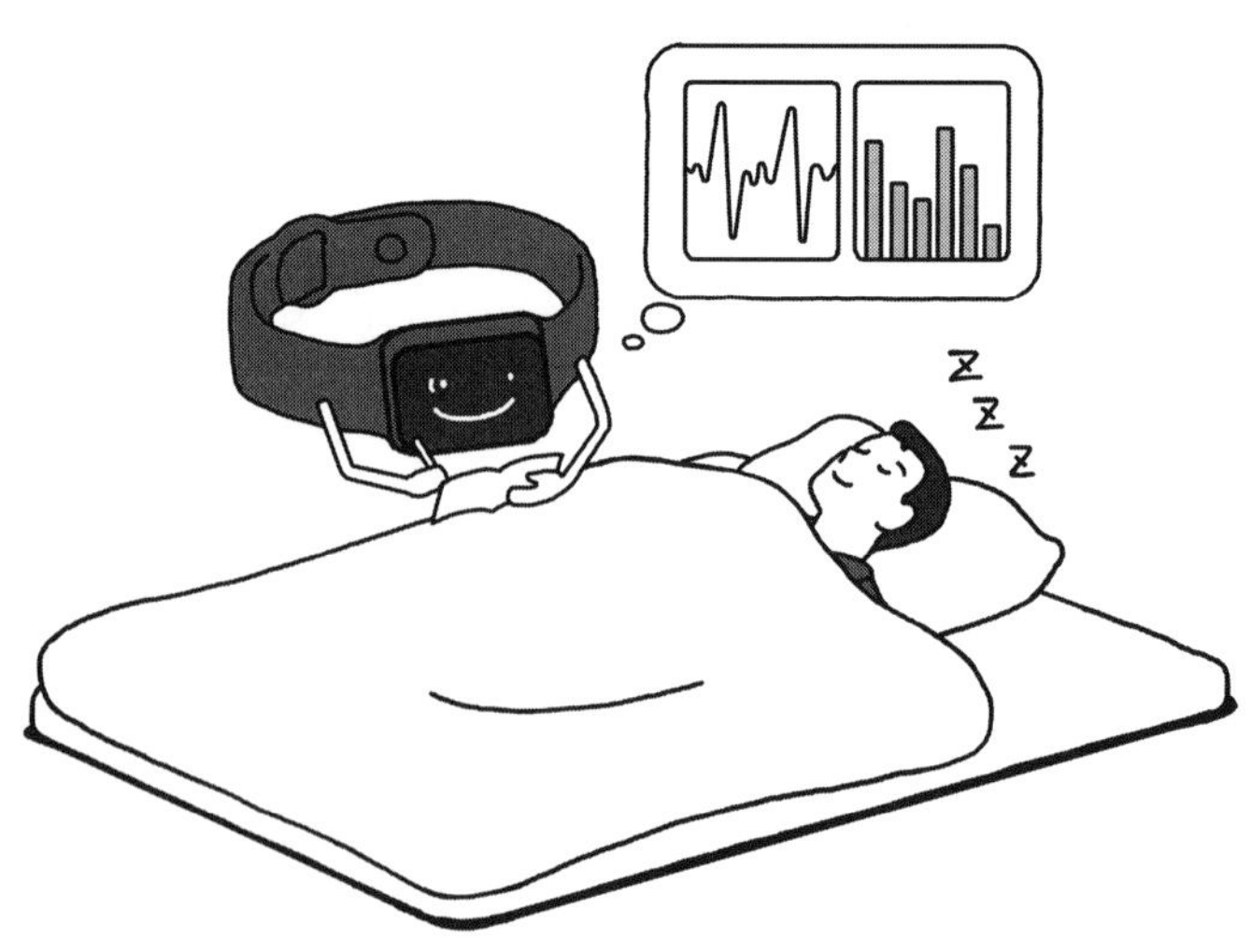

ここ数年スマートウォッチの進化が凄まじく、本に書くとすぐ内容が劣化する恐れがあります。しかしながら、非常に改善効果の高い睡眠環境なので、あえて取り上げることにしました。

分かりやすい例が**アップルウォッチ**です。さまざまな健康状態が計測できたり、便利なアプリが使えたりするので、睡眠を改善するには最も有効なツールとなりえます。

自分の睡眠の状態を可視化するためには、これまでは病院で高い費用をかけて調べなければ分かりませんでした。

しかし、5年ほど前から、**スマートウォッチの高級機種**であれば、かなりの精度で測定できることが可能になり、ここ最近では1万円以下でも以前の高級機種と同じくらいの精度でスコアを計測できるようになっています。

バッテリーの性能も上がって、充電を2週間以上しなくて良いタイプや、超軽量タイプなスマートウォッチがどんどん出てきています。自分に合ったリーズナブルなスマートウォッチが見つかれば、睡眠改善の効果が爆上がりすること間違いなしでしょう。

スマートウォッチ

お手軽コース

☑ 1万円以下のスマートウォッチを買う

☑ 中古のスマートウォッチを買う

☑ スマートウォッチをレンタルする

まず最もスマートウォッチを始めやすい方法として、おすすめなのが、**1万円以下のスマートウォッチ**を購入することです。

この価格帯のものを購入するときのポイントですが、現時点では5000円以下の商品では、睡眠を正確に計測できる商品はほとんどありませんので、5000円以下のスマートウォッチは避けた方が無難です。

それに引き換え、5000円以上になると、ほぼ高級な機種と変わらない精度の機種が一気に増えます。もし自分に合っていなければ、すぐに中古品売買に出せば、それほど損失なく回収できます。

逆に**中古品売買で買う**という考えもあります。

中古品では多少高めのブランドの型落ちが狙えます。高級ブランドの商品は中古や型落ちになると一気に値段が下がるうえ、性能がそれほど変わらない傾向があるので、「高級ブランドなら型落ち品でいい」という人にはこの方法がおすすめです。

最後に**スマートウォッチのレンタル**ですが、これが意外に便利です。

1カ月2000〜3000円で高級機種が借りられます。

スマートウォッチ

本気コース

- ☑ オーラリングを買う
- ☑ 高級ブランドの最新機種を買う
- ☑ 高機能スマートウォッチを買う

本気コースで最もおすすめなのが**「オーラリング」**です。

スマホアプリなどと連携して、毎日の健康管理や運動量を記録してくれる指輪型のウェアラブルデバイスです。小さな指輪型にもかかわらず、計測精度は最も高性能なスマートウォッチと同等もしくはそれ以上の精度を誇ります。

国内のECサイトで買うと、5万円くらいと少々値段が張ります。

そのような理由から、中古で購入する人がたまにいますが、**オーラリングの中古だけは絶対におすすめできません。**その理由はバッテリーの寿命・劣化が早いことです。個体差がありますが、2年くらいでバッテリーのレベルが低下します。

オーラリングの次におすすめなのがガーミンなどの**高級機種の最新モデル**です。

睡眠の深さや時間だけでなく、酸素飽和度も高い精度で計測できたり、睡眠だけでなく健康全般の意識が上がります。

次に高級機種の最新機種ともかぶる部分があるのですが、**「ボディバッテリー計測機能」や「血圧」など特殊な機能を持つスマートウォッチ**もおすすめです。

特にガーミンに代表されるボディバッテリーという数値は、日中のストレスや疲労、休息を随時計測して、今の体の状態を100点満点で表示してくれます。

セミナー受講生2万人に聞いた
「これやってみたら、めっちゃ睡眠よくなった！」

第6位

寝室の音環境の改善

こんな人にお勧め

- 早朝に新聞配達のバイクの音で目覚めてしまう人
- 夜寝るときに外の音が気になる人
- 一緒に寝る人のいびきや歯ぎしりが気になる人

50代になると意外に気になるのが、**就寝時や起床時の「音」**です。

おそらくほとんどの方が、これまでは寝るときや朝方の外の音などほとんど気にならなかったと思います。ところが、50代になると眠りが浅くなっていることもあり、多くの人が寝るときの音が気になるようになっていきます。

実際には若いときでも、寝るときや寝ているときに音があると睡眠の質が下がるので、「50代になって気づくようになった」という言い方が正しいかもしれません。

目覚まし時計のテーマのときに、秒針の音が静かな時計を選ぶように書いたのは、寝ている環境が静かであればあるほど、眠りの質が良くなることが分かっているからです。

もちろんあまり気にしすぎるとさらに音が気になりますし、都会では外の騒音、田舎は虫の音など、どこでも無音という環境はありませんので、適度に気にしない姿勢が何より重要です。

いびきや歯ぎしりも、本人に治す気がないと治せませんし、実際に治すこともかなり大変です。あなたのやれそうなことを少しやってみるだけで、ずいぶん音環境はよくなることが多いので、肩の力を抜いてチャレンジしてみてください。

寝室の音
環境の改善

お手軽コース

☑ シャッター（雨戸）を閉める

☑ 耳栓をする

☑ 吸音パーテーションを購入する

まず最も簡単な方法としておすすめなのが、**シャッター（雨戸）を閉めること**です。まずほとんどの家についていますので、お金をかけずにできる割に、効果は一般的なシャッターで20デシベルほど外の音を下げられるので、劇的な効果が感じられるはずです。この対策だけで、朝の新聞配達のバイク音で起きなくなる方が多数出ます。

次に人によって向き不向きが出ますが、「**耳栓**」はほぼどんな音に対しても有効です。最近は百円ショップでも、耳の形に合うソフトで防音性の高い耳栓が売っていますので、手軽に試すことができます。

ただし、耳栓には大きな欠点があります。それは「目覚まし時計の音も聞こえなくなる」という致命的な欠点です。ですから目覚まし時計なしでも起きられる人か、光目覚まし時計などで起きる方以外にはおすすめできない方法となります。

最後は「**吸音パーテーション**」です。

パートナーのいびきや歯ぎしりがひどい場合に有効です。小さなタイプであれば2000円〜3000円もあれば購入できますし、100円ショップで手に入る材料で自作することも可能です。段ボールを立てるだけでも消音効果がありますので、試してみる価値は十分にあります。

寝室の音
環境の改善

本気コース

☑ 防音グッズ（カーテン・シート）を購入する

☑ いびきをかく人に横向きで寝てもらう

☑ 別部屋で寝る

本気コースでまずおすすめしたいのが**「防音グッズ（カーテン・シート）」**です。以前は工務店に頼まないと部屋自体の防音はできなかったのですが、最近は高性能な防音カーテンや防音シートが簡単に手に入るようになっています。

ただそうはいっても、それなりのお金と手間がかかりますので、それなりの覚悟が必要になりますが、思い切ってチャレンジした人は「もっと前からやれば良かった」と言われる方がほとんどです。

次にパートナーがいびきをかく場合、相手が承諾していただけるのであれば**「横向き」で寝る**ようにお願いしてみてはいかがでしょうか。ほとんどの方は仰向けに寝る時にいびきをかくので、横向き枕を買ってあげて、横向きメインに寝るようにすると、かなりの確率でいびきの音量、いびきをかく時間の長さも激減します。

最後の手段は、**別部屋で寝ること**です。安心感は減りますが、基本的に人間は一人で寝た方がお互いの影響を受けないので、快適に眠ることができます。

別部屋がない場合、押し入れやクローゼットを整理して睡眠スペースに改造される方もいます。それほど難しくなく、「最高に快適な睡眠環境だ」と、やってみたほとんどの人が感嘆の声をあげています。

セミナー受講生2万人に聞いた
「これやってみたら、めっちゃ睡眠よくなった!」

第7位

寝巻きの改善

こんな人にお勧め

- ジャージで寝ている方
- スウェットやパーカーで寝ている方
- 裸もしくはパンツのみで寝ている方

最近の調査によると、日本人はパジャマよりパジャマ以外を着て寝る人の方が多いという報告がありました。実際に睡眠改善セミナーの受講者に聞くと、パジャマで寝ている方は4割程度です。スウェットで寝ている方は「パジャマと何が違うの？」とおっしゃる方が大半です。むしろスウェットはパジャマだと思っている方も少なくありません。

この考えは「ただ寝る」という視点ならそうかもしれませんが、**快眠という視点から見ると、スウェットとパジャマでは大きな違いがあります。**

パジャマは寝ているときに「リラックスする」「適度に発汗できて蒸れない」など、快眠にとって重要な体の状態をつくることができます。

たとえば、手首足首の部分ですが、パジャマはほぼ100％開放されていますが、スウェットでは反対にほぼ100％が締まっているでしょう。たったこれだけの違いですが、交感神経のリラックス度が違います。睡眠デバイスで計測すると、寝ているときの心拍数やスコアにさえ違いが出るレベルです。

特に50代は若い人たちよりパジャマによるリラックスの影響が強く出る傾向があります。

寝巻きの改善

お手軽コース

☑ 重ね着をしない

☑ スウェットではなくパジャマを着て寝る

☑ 上半身裸の人は綿などの肌着を着る

まずお手軽にできることは、重ね着をして寝ている方は**重ね着をしないこと**です。特にパーカーを上に羽織って寝ている方は、首の角度が合っていないことが多く、睡眠の質が悪いことが多いです。重ね着をすると、寝返りを打ちにくくなりますので、血流が悪くなって疲れも取れにくくなるので、重ね着でなく、布団で寒暖を調整することを強くおすすめします。

パジャマを着ていない方は、まずはパジャマを購入してください。最近は1000円台から自然素材の良質なパジャマが手に入ります。パジャマを今まで着ていなかった人がパジャマを着ると、かなり違和感があると思いますが、ほとんどの方が1週間も経てば慣れて、パジャマの方が心地良く感じるようになります。

最後に（日本人では珍しいケースですが）**裸で寝ている方は、綿などの自然素材の肌着を着て寝てみてください**。布団のシーツの摩擦より断然リラックスできます。

ただ、ずっと裸で寝てきた方は、何かを身に着けて寝ることに耐えられない方が一定数いますので、1週間やってみてダメなら、元に戻す感じで気軽に試してみてください。

寝巻きの改善

本気コース

☑ 自分に合った天然素材のパジャマを購入する

☑ 今治(いまばり)タオルのパジャマを購入する

☑ スリープウェアを購入する

本気コースでまずおすすめしたいのが、**天然素材のパジャマ**です。

一番有名なのが、オーガニックコットンのパジャマです。やはり年齢が高くなると、皮膚が弱くなったり、油分が減るので、化学素材より天然素材の方がリラックスを感じられます。

次におすすめは**「今治（いまばり）タオル」のパジャマ**です。これは受講者の間で最も評判が良く、特に50代以上からは絶大な支持があります。

最後は**スリープウェア**です。これは実は完全に評価が二分することが多いです。

ちなみに私は相当高価なスリープウェアを2週間試してみましたが、睡眠スコアや就寝時の心拍など、すべてが悪化してしまいました。ところが人によっては「まったく朝の疲労感が違う」「睡眠スコアが10上がった」などの劇的な改善を感じられるようです。

傾向として、筋肉質の男性（アスリート系）にそう感じられる方が多いようです。スリープウェアは安くても1万円ほどしますし、高いものは3万円以上するものもあります。かなりお金に余裕がある人で、筋肉質の人は試してみる価値はあると思います。

セミナー受講生2万人に聞いた
「これやってみたら、めっちゃ睡眠よくなった！」

第8位

温度と湿度の最適化

こんな人にお勧め

- クーラーを使っていない人
- 寝ているときに体がかゆくなる人
- 起きたときに喉が痛い人

意外に見落としがちですが、**寝るときの温度や湿度**はかなり重要です。寝るときの温度が高すぎても低すぎても、深い睡眠は実現できません。

みなさんなんとなくそのことは分かっていて、クーラーで部屋を冷やしたり、暖房で調整する人が大半を占めています。

ただし、効果的にクーラーや暖房を使えている人はごくわずかです。質の高い睡眠を得るには、上手にクーラーや暖房器具を使って、寝入りから起床までマネジメントしたいものです。

次に湿度に関しては、睡眠に大きく影響する要素にもかかわらず、ほとんどの人が気にもしていないですし、対策もしていません。

特に50代になると、肌が乾燥したり敏感になってくるので、乾燥していると体がかゆくなり、寝つきが悪くなったり、夜中に目が覚めやすくなります。

同じく加齢で喉（のど）も痛めやすくなったり、口呼吸が増えたりするので、朝に喉が痛くなっていることが多いです。体質的な部分が大きいので、すべてはカバーできないですが、湿度を工夫することで、かゆみや喉の痛みを低減することができますので、困っている人はぜひ対処してみてください。

温度と湿度の最適化

お手軽コース

- ☑ 湿度計を買う
- ☑ タオルを部屋干しする
- ☑ クーラーを活用する

まず試していただきたいことは、**湿度計を購入すること**です。

ほとんどの方があまり湿度を気にしていないのですが、湿度計はマストです。最適な湿度の目安は季節によって多少違いますが、**約50%**と覚えておいてください。

湿度計は100円ショップでも購入できます。精度は悪くなく、実際に湿度管理に使えるレベルなので、ご安心ください。ただし欠点があり、100円ショップの湿度計はアナログ式で、少し大きめのものしかありません（まれにデジタルもありますが、精度が非常に悪いです）。

一番のおすすめは、**1000円以内で買えるコンパクトなデジタルの湿度計**です。

次にお金をかけずに湿度を上げる方法として**「タオルの部屋干し」**が挙げられます。狭い部屋ならタオル2枚くらいでも、湿度を安全圏内まで湿度をあげられます。少し広めの部屋なら、バスタオルを部屋干ししてみてください。加湿器を使わない方法としてはタオルの部屋干しがベストです。

そして手軽にできる温度調整の基本は**クーラーの活用**です。よくクーラーを使うと体に良くないと思われがちですが、実際には夏の熱帯夜なら、確実にクーラーを使った方が深い睡眠に長い時間入ることができます。

温度と湿度の最適化

本気コース

- ☑ 布団の複数使いをする
- ☑ クーラーの細かいタイマー温度設定を活用する
- ☑ 加湿器を買う

本気コースでまずしていただきたいことは「**布団の複数使い**」です。保温効果の異なる布団を複数用意して、寝ている間に自然に最適になるようにすることで、ベストな布団内温度を保つことができます。

特に春や秋、季節の変わり目などは、日々の気温の変化や朝晩の気温の変化が大きく、部屋の温度だけでは対応しきれません。

どんな季節でもどんな時間帯でも、ベストな温度で寝ることができます。ただし、このやり方は、寝ている間に無意識で布団の調整ができないタイプの方にはまったく効果がありません。ただ8割以上の方はこのやり方で自然に布団調整して、快適に眠ることができます。

次に**クーラーのタイマーの活用**です。夏なら寝入りは温度設定を低くして、朝方は温度が上がるようにして起きやすくします。冬は朝方に温度を上げて起きやすくすると、快適に寝起きできるようになります。

最後は**湿度を上げる加湿器**です。加湿器にはいろいろなタイプがあり、それぞれ特徴があるのですが、睡眠に最も重要な要素は**静音性**です。30デシベル以上だと、睡眠の質を下げてしまうので、静音タイプを調べて購入してください。

セミナー受講生2万人に聞いた
「これやってみたら、めっちゃ睡眠よくなった！」

第 9 位

寝室の断捨離

こんな人にお勧め

- 寝室にモノが多い人
- 寝室や寝具をあまり掃除しない人
- ついベッドや布団でいろいろしてしまう人

50代になると、寝室にモノが多い人と少ない人が極端に分かれます。

なかなかモノが捨てられない性格だったり、寝室を物置き代わりにする習慣があったりすると、寝室は寝るためにリラックスできる環境から遠のいていきます。

「寝室のモノが多かろうが少なかろうが、睡眠にはあまり関係ないのでは」と思われる方もいると思います。またモノが多い方が落ち着くとおっしゃられる方も一定数おられます。

ただ、**ほとんどの方は、モノが多いことで交感神経を刺激しやすく、リラックスする副交感神経がオンになりにくく、寝つきが悪い方が多いです。**

薬を使わない睡眠改善の方法で最も効果が高いと言われる方法に「**刺激制限法**」という治療法があります。この刺激制限法は簡単に言うと、寝る前の刺激を最小限にして、寝る場所は寝る場所として扱いましょうという改善法です。

寝る前のスマホや飲酒の制限はなかなか難しいのですが、寝室を寝る場所として扱うというのは手軽にできる刺激制限法の基本です。

「寝る前にリラックスできていない」と感じる方には、非常におすすめできる改善ジャンルです。

寝室の
断捨離

お手軽コース

☑ 寝室に掃除機をかける
☑ シーツなどの寝具の洗濯
☑ 寝室のモノを減らす

まず最も簡単な方法としておすすめなのが、**寝室に掃除機をかけること**です。リビングや仕事スペースには毎日掃除機をかけている人が多いのですが、寝室や寝るスペースはあまり使っていないイメージがあるようで、毎日掃除機をかける人の方が少ないようです。

ところが、実際には寝ている間やその前後の時間に髪の毛が抜けたり、汗をかいたり、肌からの老廃物が体から出ています。

布団にはダニもいますし、さらにダニのフンまであります。とはいえ、さほど神経質になるほど体への悪影響はないのですが、快眠を得るためにはまずは寝室に掃除機をかけてみましょう。おそらく毎日驚くほど掃除機にほこりやゴミがたまるはずです。

次は少し手間ですが、**シーツなどの寝具の洗濯**です。理想は週に1回、それが難しければ隔週に1回洗うと、シーツが心地良くて「寝るのが楽しみになった」という声も多く聞きます。**乾燥機で乾かすことができれば、さらに理想的です。**

最後は**寝室のモノを減らすこと**。ただし、一気にモノを減らすと落ち着かないケースもあるので、少しずつモノを減らして数週間かけて減らしていくと良いでしょう。

寝室の
断捨離

本気コース

☑ 布団やシーツに掃除機をかける

☑ 家事代行サービスに寝室の掃除をしてもらう

☑ 片付けアドバイザーさんにお願いする

本気コースでまずおすすめしたいのが、**布団やシーツに掃除機をかけること**です。

次におすすめは**家事代行サービス**です。最近はこの手のサービスを使う人が非常に増えてきています。使った人の大半は、非常に喜んでリピートすることが多いようです。ただし、値段が1回5000円から1万円程度かかりますので、家計には優しくないです。

そこでおすすめなのが**「シルバー人材センター」の活用**です。

私も活用していますが、隔週2時間で2520円（税込・コンビニ振込手数料込み）と格安です。個人差があるようですが、私の担当の方は寝室だけでなく、お風呂もキッチンもかなりキレイにしてくれます。

最後は**片付けアドバイザーさんにお願いするやり方**です。

これは掃除というより、モノの減らし方や収納の仕方を教えてもらうイメージです。自分ひとりだと、どうやって減らして良いのか分からない、背中を押されないとモノが減らせないという方には非常に向いています。

会話しながら減らしていくので、自分の価値観にも気づけて、コーチングのような気づきもあり、一度試してみるのはおすすめです。

コラム

「スタンフォード式習慣術」

成功率の高いおすすめ習慣術で、2つ目に紹介するのは「**スタンフォード式習慣術**」です。

世界で最も「習慣化」や「行動変容」を研究しているのが、スタンフォード大学の行動デザイン研究所で、数多くの研究が発表されています。

この行動デザイン研究所の所長B・J・フォッグさんは、「習慣化はあなたの意思の弱さではない」と言い切り、20年にわたって「人間行動の仕組み」を研究してきました。

研究の結果、行動は次の式に表されるということが分かってきたのです。

行動＝モチベーション×能力×きっかけ

要するに、行動は「**その行動をやりたいと思う気持ち**（**モチベーション**）」があり、そのモチベーションを行動にできる「**能力**」があり、その行動を起こすための「**きっかけ**」が揃えば、誰でも習慣化できるということなのです。

ここで重要なのが、次の2つのポイント。

❶ **やりたい気持ち**（**モチベーション**）**は、日常ではあまり大きくないので、行動のハードルは可能な限り下げる。**

❷ **行動のきっかけは「今すでに習慣化していること」のあとにする。今までに習慣化しているAという行動をしたら、その後に身につけたいBという行動を設定する。**

これが科学的に最も成功率の高い方法なのだそうです。

具体的なステップは次の4つです。

ステップ1「本当にやりたい習慣を見つける」

ステップ2「できる習慣レベル（タイニー・ハビット）にする」
ステップ3「きっかけをつくる」
ステップ4「祝福する」

個人的には、モチベーションの見極めが非常に難しいので、「やりたい習慣」の設定の見極めでだいぶ成功率が変わると感じています。

ただし、「if A ~ then B」（もしAをしたらBをする）という原則は、めちゃめちゃ使えます。

そして、これをどんどん繋げていく（これをチェーンと言います）ことで、無限に習慣化が成功していくという算段です。

この方法は実は良い習慣だけではなく、ゲームや依存行動など悪習慣の改善などでも活用されている方法です。この仕組みを知ることで依存性の行動を減らすことも可能です。

50代の
快眠のポイントは
「睡眠圧」にあり

50代の睡眠が悪化する最大の要因は「睡眠圧」の低下

50代になると「寝室」や「寝具」の影響が、20代〜30代のときに比べて大きく影響するので、まず初めに「睡眠環境」を変えていくことからおすすめしました。睡眠環境を変えることは、そのこと自体が睡眠の質を上げる重要な意味があるのですが、さらなる効果として「いつもと違う」「今までと違う」といった新しい刺激が日常に入ることも、睡眠にとって良い効果になるのです。

睡眠環境を変えることで、体感として睡眠の改善を感じられる方がほとんどです。**50代だと睡眠環境の改善だけで「十分改善した」と感じられる人は、大体20%〜30%という割合です。**

多くの人は、以前より睡眠は良くなったものの……、

「以前に比べて多少目覚めが遅くなったけど、まだ以前より1時間早く目が覚める」

「夜中に目が覚める回数は減ったけど、まだ1、2回目が覚める」

「以前ほどではないが、いまだにぐっすり寝た感じが得られない」

……といった方が現場では7、8割を占めます。

40代であれば、睡眠環境の改善だけで「十分改善した」と感じる方が半数以上出るのに、この差は何なのでしょうか？

その答えが**「睡眠圧の低下」**です。

50代の快眠のカギとなる「睡眠圧」とは？

「睡眠圧」という言葉を初めて聞いた方もいるかもしれません。

私は今まで多くの50代を「睡眠不調」から「快眠」へと導くサポートを成功させていますが、その中で最も効果が高く、きわめて重要なのが、この「睡眠圧の向上」だと断言できます。

多くの人は50代になると、良くも悪くも「自分の型」ができます。また自分の得意、不得意なことも分かってきて、得意なことに集中するようになります。

そうすることで「失敗」を防ぎ、「ストレス」を減らし、「成果」を最小限の力で出すことができるようになるのです。50代が体力や熱量の高い若い世代より、価値を生み出して生きていくためには、当然の生存戦略だと思いますし、私もそうしています。

ところが、この「自分の型」を持ってしまった弊害として、**「生活パターンが同じ」「選ぶものや判断がいつも同じパターン」**といった、脳にも体にも刺激が少ない生活を送りがちです。

ここには大きな落とし穴があり、実はこの**人生の効率化ともいえる日常の最適化こそが、睡眠を悪化させている最大の要因**なのです。

脳も体も、いつもと同じで特に新しいことを吸収していないので、睡眠時間や深い睡眠が必要なくなるのです。

もちろん、自分の仕事や趣味で新しいことを学んだり、実践しているとは思いますが、それは脳や体にとっては、もはや「新しいこと」と認識されないレベルになっているのです。

ですから、50代になって本当に良い睡眠を得るためには、新しいことを始める必要があります。50代になってからの新しい刺激が、20〜30代と変わらない質の高い睡眠、スッキリした目覚めを生み出すことを覚えておいてください。

「睡眠」と「日中の活動」は「陰陽」の関係

これは非常に大切な考え方なので、ぜひ一生覚えておいてほしいことなのですが、「睡眠」と「日中の活動」は生物における基本であり、互いに独立しているものの、依存しあいながら影響を与えあっています。

簡単な言い方をすると、**「睡眠」によって「日中の活動」が作られる、また逆に「日中の活動」によって「睡眠」が作られる**……というシンプルな考えです。

ですから、良い睡眠をすれば、心身が回復して良い状態が作れるので、日中に活動的で新しいことにチャレンジできるわけです。

また、活動的で新しいことにチャレンジする日中を過ごすと、睡眠圧が上がり適度に負荷がかかり、回復のために寝つきの良い深い睡眠ができるというわけなのです。

多くの50代はこの反対のパターンになっています。

ちなみに、「睡眠圧」という言葉は、私が作った造語ではなく、睡眠学の学術用語です。

本来の意味は「**長時間起きていることや、活動することで、睡眠物質が溜まること**」となっています。つまり、長く起きて活動すればするほど、深い眠りに入れますよという意味です。

よく左のような図で表されています。

睡眠圧を上げる実践法には大きく分けて3つあります。

❶ **新しいことを1日1つ以上行う**

❷ **体に強い負荷をかける習慣を取り入れる**

❸ **脳に強い負荷をかける習慣を取り入れる**

ただし、「❶新しいことを1日1つ以上行う」はかなりハードルが高いでしょう。

もちろん、実践できればベストですが、本書ではこれに代わって「**朝の目覚めスイッチを入れる方法**」をお伝えします。50代は夜型から朝型に移行する年代なのですが、朝に目覚めスイッチが入らないことによる不調が多く見られるからです。

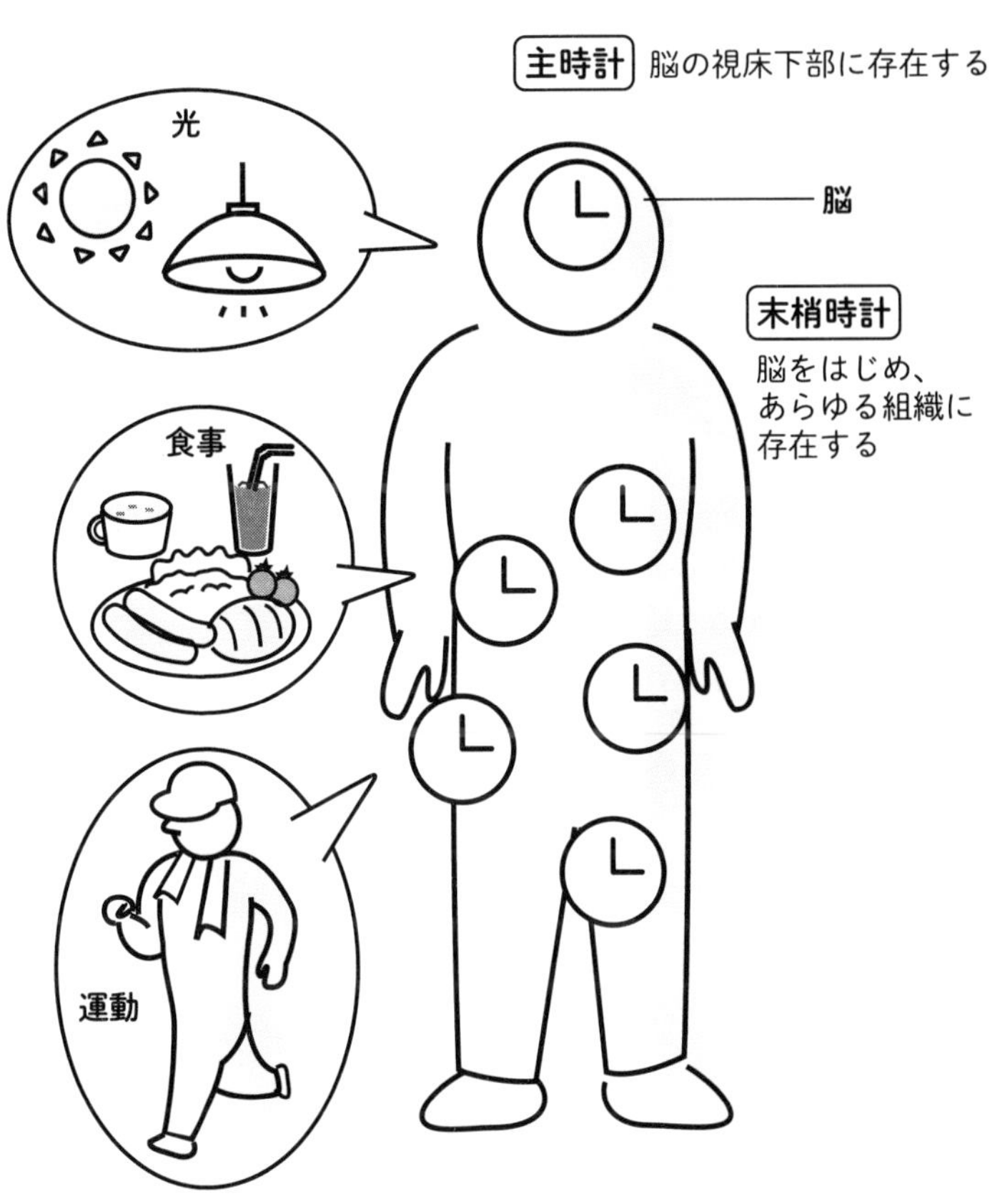
主時計 脳の視床下部に存在する
光
脳
末梢時計
脳をはじめ、
あらゆる組織に
存在する
食事
運動

50代の「睡眠圧」を上げる
実践法

ステップ①

朝の目覚めスイッチを入れる

こんな人にお勧め

- 朝ふとんの中に長時間いる人
- 朝ごはんをあまり食べない人
- 朝が全般的に活動的でない人

50代になると、朝早く目覚めるようになる人が増えます。

厚生労働省の「睡眠指針」でも**「年を取ると朝型化します」**と記述されています。

ただし、朝型化しても、多くの人はそのまま起きて活動せずに、布団の中でもんもんとしてすぐに起きないケースが多いです。

40代までは、起きたらすぐに活動できるのですが、50代になると、起きてからすぐに活動することができにくくなります。

睡眠には「体がはっきりと目覚めた」と認識してから、8時間後、15時間〜17時間後に眠くなるという原則があります。

ここで大事なことは**「体がはっきりと目覚めたかどうか」**ということです。

最近の言葉でいうと**「体内時計」がオンになったかどうか**が重要なのです。

自分では目覚めているつもりでも、「体内時計」がオンになっていなければ、目覚めていることにはならないので注意が必要です。

朝の時間に体内時計のスイッチをオンにすることは、「睡眠圧」を上げるのに欠かせない行為です。

朝の目覚めスイッチを入れる

お手軽コース

- □朝に白湯(さゆ)を飲む
- □朝にシャワーを浴びる
- □朝に散歩する

まず最もお手軽に朝目覚める方法は、**朝に白湯を飲むこと**です。

白湯はただのお水を温めただけのものなので、基本的にはお金はかかりません。朝起きてから水を飲むと胃が活動し、連動して腸が動きます（これを胃結腸反射と言います）。**腸が動くと体内時計のスイッチがオンになります**。腸は脳と最もつながっているので、自動的に脳が目覚めます。

次におすすめは「**朝にシャワーを浴びる**」です。

これもお手軽ですが、完全に目が覚めます。ここでのポイントは、夜と違って熱め（42℃以上）の温度設定でシャワーを浴びることです。

お湯があまり熱くないと、体は目覚めてくれません。

最後は「**朝に散歩する**」。

私が勝手に師匠と仰いでいる樺沢紫苑先生がもっともおすすめする習慣です。朝に散歩すると太陽の光を浴びることになり、体内時計のスイッチがもっとも強くオンになる行為です。同時に散歩はリズム運動になり、セロトニンも出ますし、血流も回り出すので、朝にスイッチを入れる行為で最もおすすめできます。

朝の目覚め
スイッチを
入れる

本気コース

- ☑ 朝にトレーニングする
- ☑ 朝ごはんをしっかり食べる
- ☑ 朝に趣味をする

朝の目覚めスイッチを入れる本気コースの1つ目は、「**朝にトレーニングする**」です。

いきなりハードルを上げましたが、トレーニングといっても、日中に行う本格的なトレーニングでなくて十分です。たとえば「ラジオ体操第一・第二」がおすすめです。ラジオ体操は第一だけだと体操レベルですが、第二までするとトレーニングレベルになります。

ラジオ体操が苦手な方は、スクワットや腕立て伏せなど、一般的なトレーニングを10回3セットくらい行えば、十分に完全に目が覚めることができます。

次におすすめは「**朝ごはんをしっかり食べる**」です。朝に体内時計が入る一番の方法は太陽の光を浴びることですが、2番目にスイッチが入るのは「食事をして胃腸を動かす」ことです。

最後の本気の朝の目覚めは「**朝に趣味をする**」です。

これはかなりおすすめで、圧倒的に効果があります。朝がやって来るのが楽しくなったり、前日の夜の悪い習慣（アルコールやスマホ）が劇的に改善します。

人間は朝に楽しみがあると、夜のダラダラした時間が減ります。自分が本当に心からやりたいことを思いっきりやってみてください。

50代の「睡眠圧」を上げる
実践法

ステップ②

体への強い負荷をかける習慣

こんな
人に
お勧め

- 最近、さらに体力が落ちたと感じる人
- 最近、さらに体が硬くなったと感じる人
- 最近、脳ばかり使って全然体を使っていない人（歩いていない人）

50代になると、ほとんどの人が体のどこかに不調や痛みを抱えていて、スポーツを楽しめるレベルの体を維持している人はほんの一握りです。

ですから、ほとんどの50代は歩くこと以外の運動をしていません。これは一見悪いことのように思えますが、**実はこの状態は方にとっては「少し運動をしただけ」で、睡眠圧が上がって爆睡できるようになります。**さまざまな実験で、今まで運動していなかった人が運動をするようになると、「体の機能」が劇的に改善することが分かっています。メンタルの抑うつ度もかなり回復します。

今までにないレベルで運動をすることで、体は若返り、運動機能や体力が回復し、メンタル状態も改善するなど、いいことずくめです。運動後は、高まった睡眠圧によって「体が回復」「体が進化」して、好循環ループに入ります。

これからの社会は、65歳以上でも働くことがスタンダードになってくるので、50代のうちに体力や運動機能を回復しておくことがマストになってきます。

ぜひ、手軽な運動から始めて、質の高い睡眠と明るい未来を手に入れてください。

睡眠圧を
上げる体への
強い負荷

お手軽コース

- ☑ 歩数を増やす
- ☑ ストレッチを習慣にする
- ☑ エア縄跳びをする

まず、最も手軽に始められる方法として「**歩数**」**を増やすこと**をおすすめします。

これは特にデスクワーカーやテレワーカーなど、1日の歩数が4000歩以下の方には非常に有効です。ただし、すでに8000歩以上歩かれている方が歩数を増やしても、睡眠圧は上がりにくく、睡眠の質はほとんど変わらないので、歩数がすでに多い方は別の方法を試してください。

次におすすめが**ストレッチ**です。**意外かもしれませんが、50代になって最も低下する体の機能は、「体力」でも「筋力」でもなく、「柔軟性」です。**

50代になると、腰痛の割合が急激に増えるのは、柔軟性の低下が最も大きな要因です。要するに50代になると、体が硬くなってしまうので、ストレッチを行うことは体にとってかなりの刺激になるということです。**しっかり行えば、筋トレなどの高い負荷のトレーニングと同じくらい睡眠圧を上げてくれます。**

最後の体への負荷による睡眠圧の向上の方法は「**エア縄跳び**」です。

その名の通り、ヒモのついてない取手だけの縄跳びです。これが普通の縄跳びと違って、跳べない人でも、マンションでもできて、さらに運動や睡眠圧を上げる効果も絶大なのです。

睡眠圧を上げる体への強い負荷

本気コース

- ☑ パーソナルトレーナーにトレーニングしてもらう
- ☑ 一般的でないフィットネスジムに通う
- ☑ トライアスロンにチャレンジする

本気コースで、まず初めにおすすめしたいのが「**パーソナルトレーナーにトレーニングしてもらう**」です。

50代になると、良く悪くもサボることを覚えます。トレーニングを頑張ろうと思っても、無意識に手を抜いてしまって、刺激が少なく成果も出にくくなります。反対に50代が無理すると、怪我をしたり、痛みが出たりするので、無理も禁物です。

そこで、50代が怪我をせずに睡眠圧を上げられて、なおかつ理想的な体型に改善するには、パーソナルトレーナーが必要になってきます。

次に本気コースでおすすめは「**一般的でないフィットネスジム**」です。たとえば暗闇の中でボクシングをしたり、自転車を漕いだりする中規模型フィットネスです。

最後は「**トライアスロンに挑戦する**」です。ここでいうトライアスロンは、水泳が1・5キロ、自転車が40キロ、マラソンが10キロのオリンピック・ディスタンスを対象にしています。

トライアスロンと聞くと、かなりハードルが高そうに思えるかもしれませんが、実はフルマラソンより肉体的にはハードルが低いです。50代でフルマラソンを走ると、膝をかなりの確率で痛めるので、おすすめできません。

50代の「睡眠圧」を上げる
実践法

ステップ③

脳への強い負荷をかける習慣

こんな人にお勧め

- 最近あらゆることに興味や関心を抱かなくなった
- 若い世代についていけてないと感じる
- 新しいスキルを習得する自信がなくなってきた

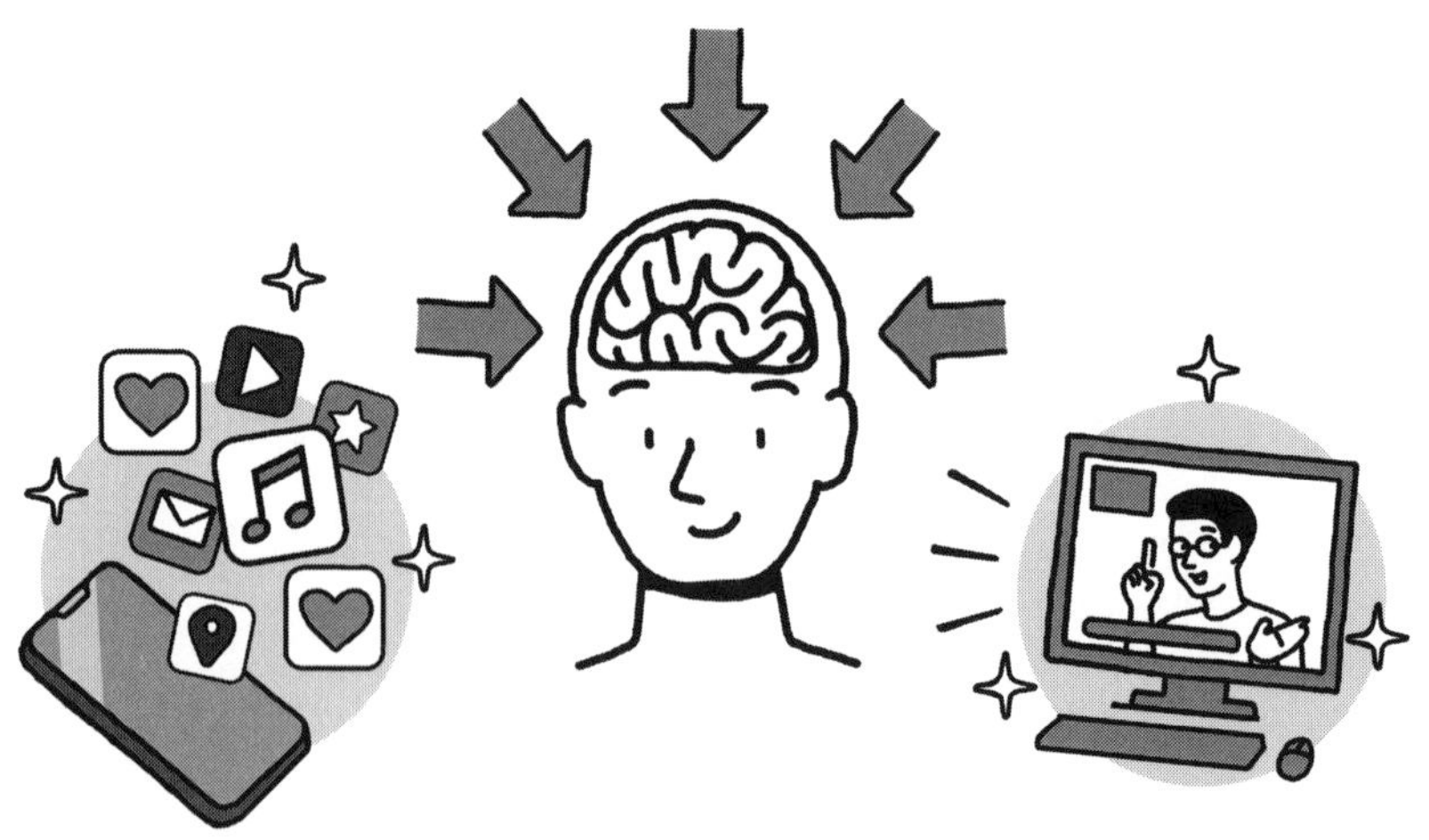

50代になると、自分の得意な分野や今までしてきた分野、もしくは仕事に直接関係する分野の情報しか入手しなくなります。

もしくは、幅広いジャンルといっても、スポーツや芸能の情報、ほとんど記憶に残らない YouTube の要約チャンネルで勉強した気になっているくらいの方がほとんどです。こうした情報や学習は、一見して脳に負荷がかかっているようで、実はいつもと同じ脳の部分を使っているだけなので、睡眠圧を上げる負荷にはなりえません。

睡眠負荷が上がらないだけでなく、「世代間ギャップ」も埋まりません。

私が交流している若い人にどんな年配（50代くらいのイメージ）の人がやりづらいかと尋ねると、**「新しいことを全然分かっていないのに、知っているように指示やアドバイスしてくる人」**だそうです。

逆にどんな年配の人に好意を持つのかを尋ねると、**「新しいことを純粋に学ぼうとしている人」**と答える若い人が多いです。私たち50代は、睡眠圧を上げるために脳に強い負荷を与え、若手にリスペクトされるためにも、新しいことを学ぶ姿勢を見せたいものです。

睡眠圧を上げる脳への強い負荷

お手軽コース

- ☑ 流行(はや)っているサービスやアプリを継続して使ってみる
- ☑ ライトな学習サービスで学ぶ習慣をつくる
- ☑ ビジネス系YouTubeなどで学習・実践する

まず最もお手軽に始める方法としては、若い人たちが使っていて**流行**(はや)**っているサービスやアプリを日常的に継続して使ってみること**です。

例えば、写真の顔を補正したりするサービスや、簡単にアバターが作れるアプリなどです。おそらく、新しいことに積極的な50代は、ChatGPTなど仕事や自分に関係しそうなサービスは試したり、使っているでしょう。

しかし、**一見意味がなさそうだけど「ちょっと気分が良くなる」「ちょっと便利」なサービスを使うことで脳が刺激されます。**

次におすすめが**「Schoo」に代表される軽めの学習サービス**です。

ここでのポイントは「軽め」ということです。1テーマにつき45分～60分で講師が解説しながら、プロのファシリテーターが質問したり、相槌(あいづち)を入れてくれます。参加者からの質問に答えていく参加型ですので、楽しみながら知識が頭に入ります。

最後はやはり**YouTube学習**です。

ただし、YouTubeで学ぶときに気をつけてほしいのが、「プレミアム（有料）プラン」に変更することです。無料プランだと広告が入り、学習の効率が下がるだけでなく、広告による刺激で睡眠に悪い影響が出てしまいます。

睡眠圧を上げる脳への強い負荷

本気コース

- ☑ オンラインコースで新しいスキルを習得する
- ☑ 身につけたいスキルのコミュニティで学ぶ
- ☑ 興味のある資格を取るために勉強する

脳へ強い負荷を与える本気コースといっても、夜間大学、夜間MBA取得くらいまでレベルを上げてしまうと、寝る時間がなくなってしまいます。

ですから、本気モードでまずおすすめするのが「**Udemy**」**などのかなり本格的なオンライン学習サイトの利用**です。プログラミング、コーチング、ロジカルシンキング、プロの写真の撮り方、ボイストレーニングなど、ありとあらゆるジャンルがハイレベルで学べます。

人気のコンテンツは非常によく作られており、きちんと学習すれば、かなりのスキルが習得できるように設計されています。

次に**スキルが学べるコミュニティの参加**もおすすめです。

有料学習コミュニティは成果を出したい人しか集まらないので、無料学習コミュニティよりおすすめです。

最後は「**興味のある資格の勉強をする**」です。

これまで自分の仕事に関係ないことには興味がなかった人が多いと思いますが、この機会にちょっと興味があって知ってみたいなと思うジャンルを勉強すると、確実に脳への睡眠圧が上がります。

コラム

「アプリ活用習慣術」

3番目におすすめする成功率の高い習慣術は、最近かなり実践している人が多い「**アプリ活用習慣術**」です。

スマホのアプリは10代〜20代がうまく活用している印象ですが、アプリが苦手でなければ、50代でも十分に成功率が高いです。

数年前までは、習慣化アプリの成功率はあまり高くなかったのですが、改良が重ねられたうえ、需要の高まりで競争が激しくなってきたため、ここ数年でかなり実践で使えるレベルになってきました。

習慣化アプリと一言で言っても、実はいろいろなタイプのアプリがあるので、自分に合ったアプリを探すのに一苦労です。この習慣術は、言ってしまえば**自分に合ったアプリを見つけて使うことがポイント**ですので、今回はあなたに合った習慣化アプリの見つけ方について書いていきます。
まず習慣化アプリは大きく2つのタイプに分かれます。

① コミュニティ系習慣化アプリ

コミュニティ系習慣化アプリで代表的なのは、**三日坊主防止アプリ「みんチャレ」**です。これは漫画やドラマで有名な「ドラゴン桜」をモチーフにした有名なアプリです。

このアプリは基本無償です。身につけたい習慣をアプリ内で検索すると、さまざまなグループが出てきます。自分に合いそうなグループを選んだら、そのグループが5人になれば習慣化スタートです。同じ目的を持つ仲間だけでなく、フォローしてくれる5匹のネコが常に応援してくれます。

このアプリは無償版でもそれなりに成功率が高いのですが、おすすめは有償版（月500円）です。ホームページ上では、成功率が2倍、継続日数が無償版より170%向上すると記載されていますが、おそらく実際にはもっと差があります。

参加するメンバーの意識が高いこと、フォローしてくれるネコのコメントのレベルが上がるなど、習慣化に大事な要素が用意されています。

無償版で試してみて、自分に合いそうなら、有償版に移行することをおすすめします。

② ログ系習慣化アプリ

次に2つ目のタイプは、「**ログ系**」と呼ばれる習慣化アプリです。

このタイプはとてもたくさんあります。代表的なアプリは「**継続する技術**」です。

このアプリは非常に評判がよく、シンプルで操作性が優れています。操作性や視認性はとても重要です。アプリの操作性が悪いと、そもそもアプリを使わなくなりがちだからです。

このアプリは一度に1つしか習慣化できないので、「イチロー式習慣術」と相性が抜群です。とくにスマートウォッチと連動するタイプは便利です。代表的なアプリとして知られるStreaksはiPhoneと連動するので評判が良いです（ただしAndroid版はありません）。この習慣術は、アプリをよく使う人、リマインドが気にならない人にはかなりおすすめで、成功率の高い習慣術です。

第5章

寝る前に体をリセットする方法

なぜ、寝る前に体をリセットする必要があるのか？

快眠に入れるような睡眠環境を整えることで、睡眠不調を抱える人の約40%が「不調ではない程度まで睡眠が改善した」とアンケートで答えてくれます。

ただし、逆に言えば、睡眠環境を改善して、ある程度睡眠が良くなったものの、睡眠が改善していない人が約60%もいるということです。

そこで次にアプローチすべきは「**寝る前に体をリセットすること**」です。

50代になると、体の柔軟性や復元性が低下し、日中に生じた体の歪(ゆが)みや、猫背が戻らなくなったりします。日中の緊張が夜になっても取れなくなるのも、この年代の特徴です。胃をはじめとする内臓の機能が低下して、食べ物をずっと消化し続けたり、アルコールなどの解毒に時間がかかったり、内臓が休めない状態にもなっています。

50代の睡眠不調の原因は、「睡眠環境」の影響を大きく受けてしまうだけでなく、

体の老化によって、寝る前に「寝るべき体の状態」になっていないことが大きいのです。

人は寝る前に体の緊張が解けてリラックス状態になり、自然に体温が低下することで快眠に入ります。

ところが50代になると、肉体の老化だけでなく、若い頃のような強い緊張やハードな活動がなくなるので、中途半端な緊張の連続になることが多くなります。

この中途半端な緊張が、実は睡眠にとって非常にやっかいな問題で、50代が深い睡眠に入れない最大の要因になります。

したがって、50代の方が快眠するためには、意図的に体のリセットをしないと、自然に体がぐっすり眠れる状態になれないのです。

次のような症状を感じる方やライフスタイルの方には、体のリセットがおすすめです。

□1日中パソコン系の仕事をしている

□ジムなどで特にハードな運動をしていない

□スマホなどで気づくと首が前に出ている
□最近どうも寝つけない
□体はだるいけど疲れているわけではない
□起きたときに胃に食べ物が残っている感じがする
□朝疲れが取れていない
□朝起きた時点で「首」や「腰」が痛い

寝る前の体が「整っていない」は3タイプ

1つ目は現代人の9割が該当する「**猫背・巻き肩タイプ**」です。

背中が丸まった状態が猫背、肩が丸まった状態が巻き肩です。

デスクワーク中心だと、どうしても自然にこのタイプになってしまいます。さらに50代で柔軟性がなくなってくると、お風呂に入ったり横になっただけではリセットされずに、歪んだままになるので、快眠に入ることができません。

50代のデスクワーカーの方のほとんどが、このタイプに該当すると言っても過言ではありません。

2つ目は「**体の緊張持続タイプ**」です。

年齢を重ねると、体の緊張を取ることが難しくなります。体が硬いタイプの人は特にこの傾向があります。

すぐに行動できる多動性傾向の人は、すぐに力を入れやすいという長所がありますが、逆に力をすぐに入れられる人は体をオンにすることは得意ですが、オフにすることが苦手な人が大半です。このタイプの方は意図的に筋肉の緊張を取ってあげる必要があります。

最後の3つ目は「**内臓の緊張持続タイプ**」です。

内臓の緊張持続は、どの年代においても、寝る前に食べたり飲んだりすると起こるのですが、50代になると顕著になります。今までは寝る前に食べても平気で寝つけた人が、50代になると胃が重くて寝つきにくくなることが多いので、思い当たる方はぜひこのパートを実践してみてください。

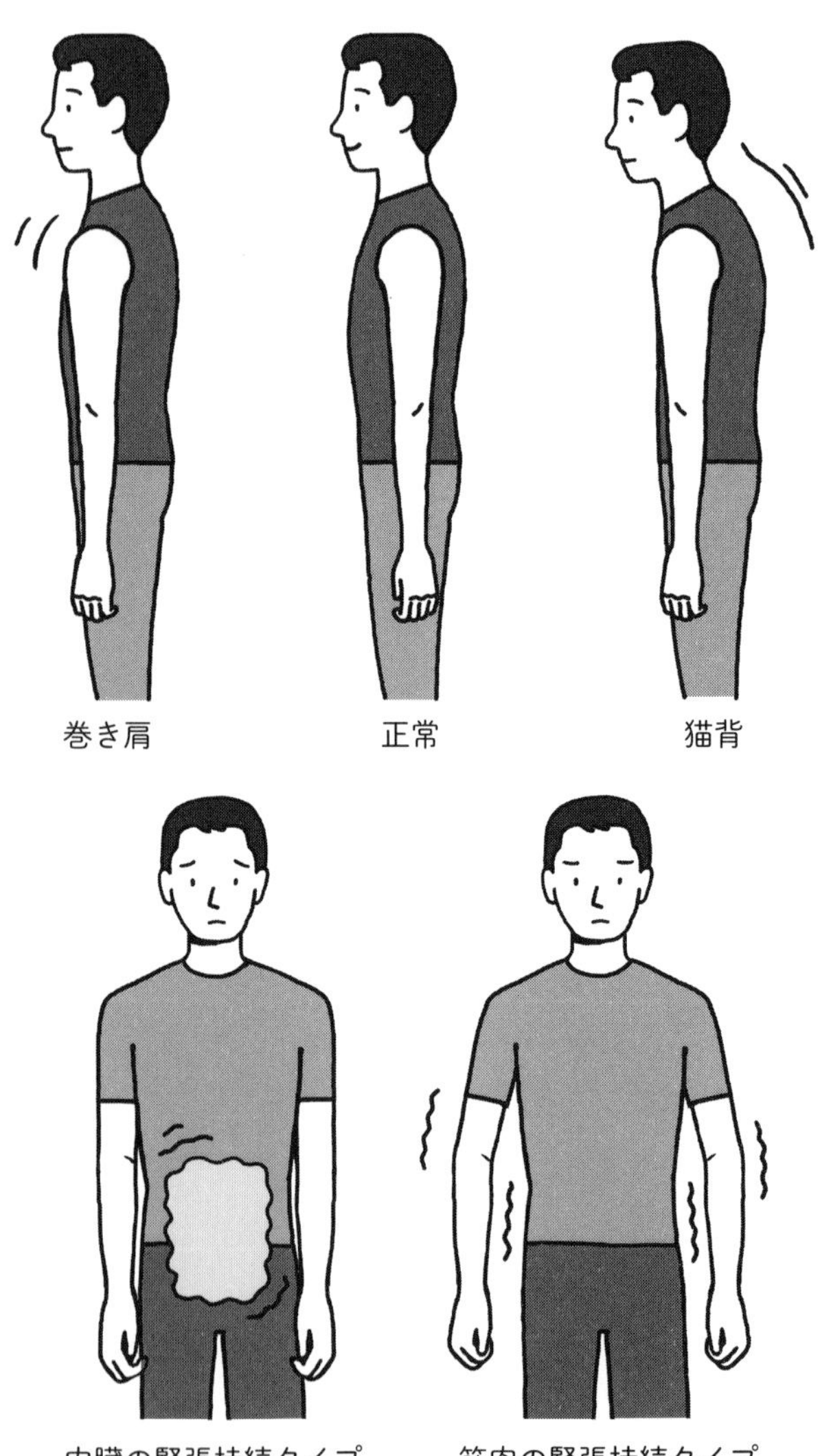
巻き肩
正常
猫背
内臓の緊張持続タイプ
筋肉の緊張持続タイプ

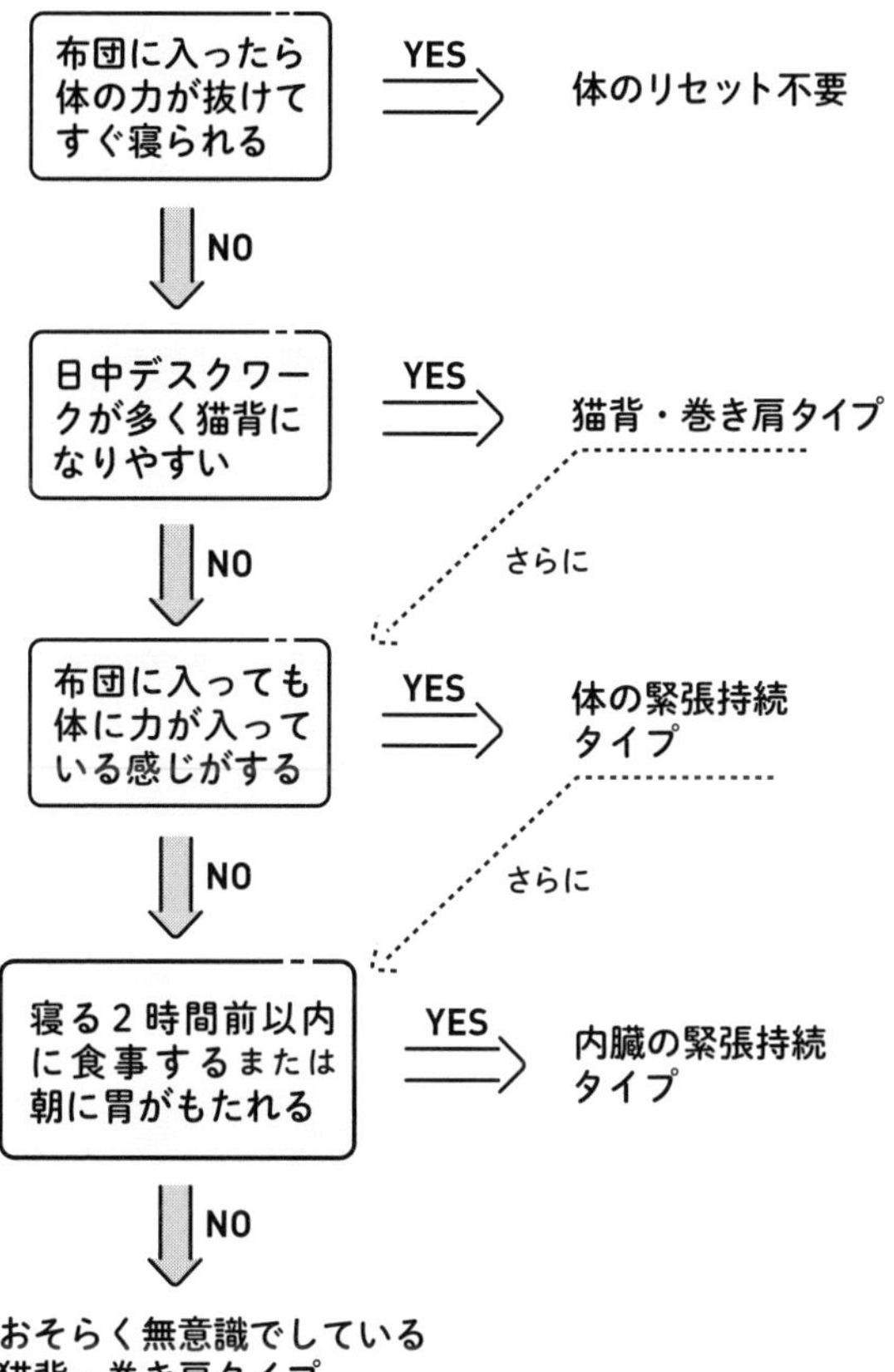
あなたはどのタイプ？
布団に入ったら体の力が抜けてすぐ寝られる
YES
体のリセット不要
NO
日中デスクワークが多く猫背になりやすい
YES
猫背・巻き肩タイプ
さらに
NO
布団に入っても体に力が入っている感じがする
YES
体の緊張持続タイプ
さらに
NO
寝る2時間前以内に食事するまたは朝に胃がもたれる
YES
内臓の緊張持続タイプ
NO
おそらく無意識でしている猫背・巻き肩タイプ

猫背・巻き肩タイプにおすすめの
お手軽コースベスト1位

「タオルストレッチ」

お手軽コースで最も効果がある対策は「**タオルストレッチ**」です。ただのストレッチではなく、タオルを活用することで可動域が増え、背中と首がほぐれます。ストレッチの効果を数値化するのは大変むずかしいのですが、体感的には半分くらいの力で2倍くらい伸びる感覚があります。

あまり道具に頼ると実行のハードルが上がるので、基本的にはお手軽コースは道具に頼りたくないのですが、タオルはご家庭に必ずあるのでランクインさせました。

私も毎日実践していますが、試された方の多くから、「寝るときに楽になった」「起きたときのコリが激減した」など、お手軽コースの中では最も姿勢のリセット効果が感じられます。このタオルストレッチの良いところは、タオルは自宅だけではなく、ホテルや旅館にも必ずあるので、出張先でもできるところです。

❶両腕でタオルを持って肩幅よりこぶし１つ分広げる
❷３秒間息を止めて外側に力を入れる

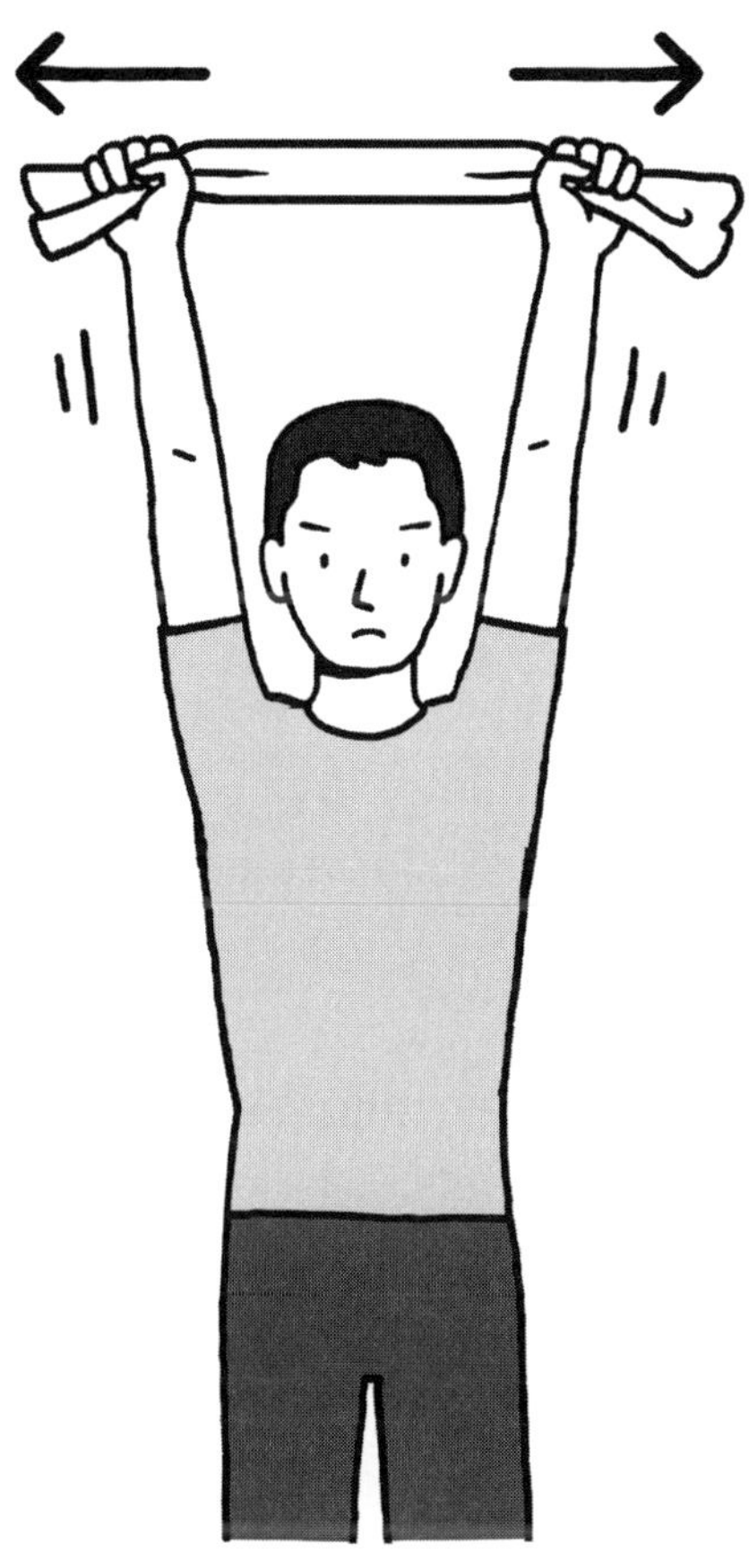

❸力を込めたまま両手を後ろに少し下げる

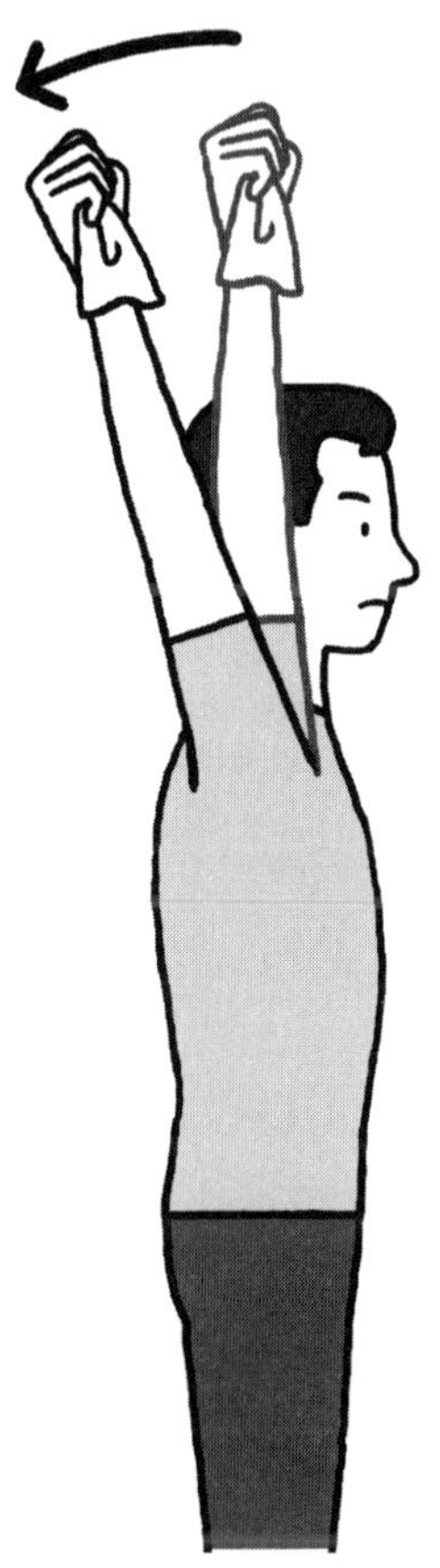

猫背・巻き肩タイプにおすすめのお手軽コースベスト2位

「キャット&カウ」

ヨガのエクササイズの1つで、「キャット&ドッグ」など、いろんな呼び名がありますが、基本的にやることは同じです。

私は知り合いにヨガのインストラクターが多くいます。その方々に「現代人の姿勢を夜寝る前にリセットするのに1番おすすめのポーズは?」と質問すると、半数以上のインストラクターがこの「キャット&カウ」を勧めるくらい有効です。

このエクササイズは丸まった背中を元に戻す、固まった背中の柔軟性を戻すのに最適なエクササイズです。

50代でふだん背中をあまり動かさない人が行うと、最初はおそらく痛かったり苦しかったりします。あまり無理はしないように気をつけてください。

地面を見て
息を吐きながら
背骨を丸める

天井を見て
息を吸いながら
下に背骨を反らせる

猫背・巻き肩タイプにおすすめのお手軽コースベスト3位

「ぐるぐる背泳ぎ」

猫背・巻き肩タイプは、基本的に背中をほぐして、元の体の状態に近づけることを基本にします。ただし、単純に背中をマッサージしたり、ストレッチするだけでは、筋肉の表面上しかほぐれないので、快眠には至りません。

筋肉の深い部分までほぐせること、背中全体がほぐせることがポイントになってきます。

「**ぐるぐる背泳ぎ**」は、背中をほぐすのに最もお手軽で有効な方法です。

快眠するためのストレッチとして、よく取り上げられるストレッチとかなり似ていますが、この「ぐるぐる背泳ぎ」はさらに背中がほぐれるように左右交互に行うので、可動域がさらに大きくなり、ほぐし効果が高くなります。

あぐらをかいて
両手を肩の上に置く

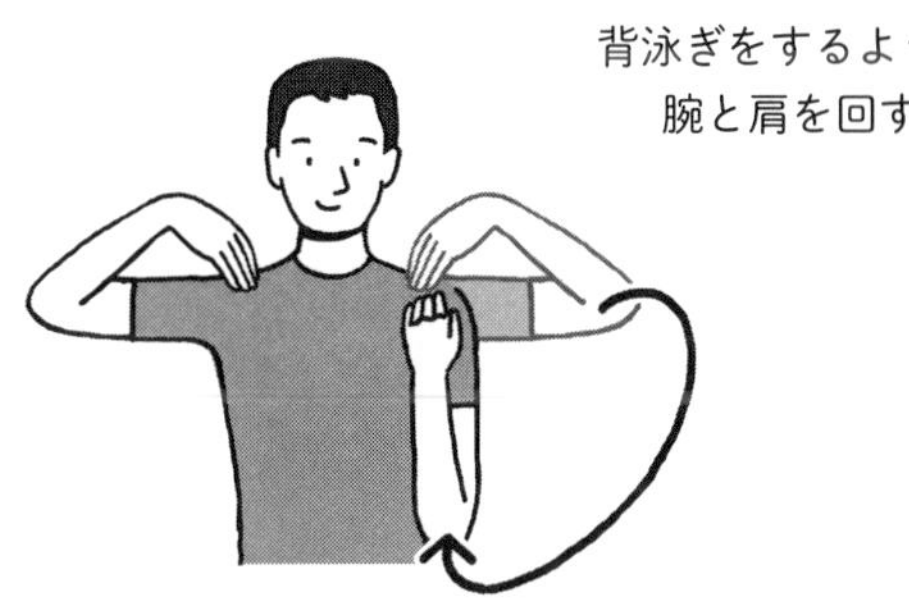
背泳ぎをするように
腕と肩を回す

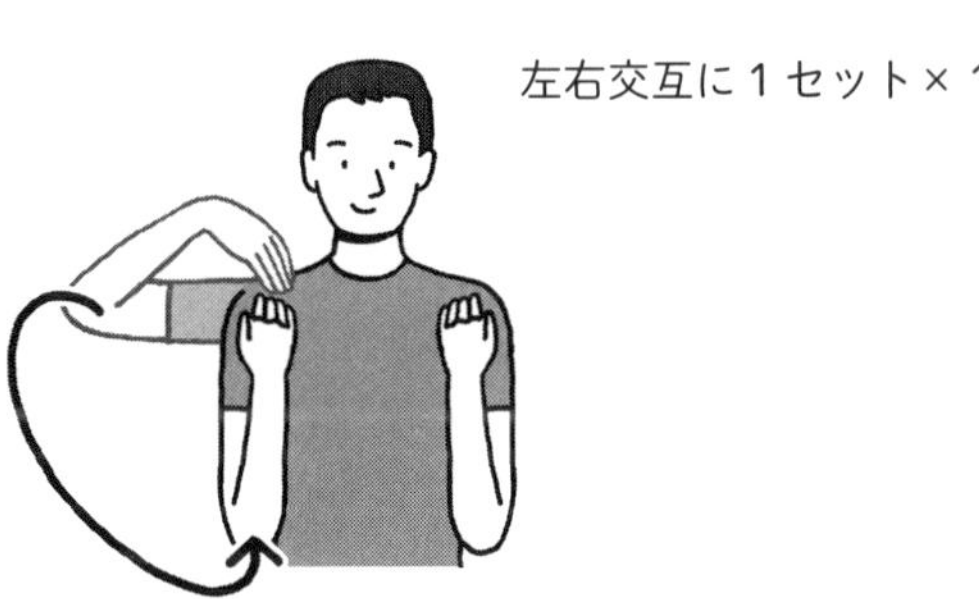
左右交互に1セット×10回

猫背・巻き肩タイプにおすすめの本気コースベスト1位

「ストレッチポール」

では「お手軽コース」に引き続き、「本気コース」での猫背・巻き肩タイプのリセット法について解説していきます。

本気コースの堂々の1位は「**ストレッチポール**」です。

これはやったことがある人なら分かると思うのですが、寝る前に3分間ストレッチポールをするだけで、背中が完全にほぐれて、感嘆の声が上がります。

睡眠スコアの改善効果が大きく、背中が凝りやすい人だと、これをやった日とやらない日でスコアが10くらい変わる人もいます。

実際にストレッチポールが習慣化した方のほとんどが、マッサージや整体に行く頻度が圧倒的に減ります。そういったジャンルのプロからすると、経営が悪化してしまうので「**整体・マッサージ業界への最終兵器**」と恐れられています。

ストレッチポールの上に横になる

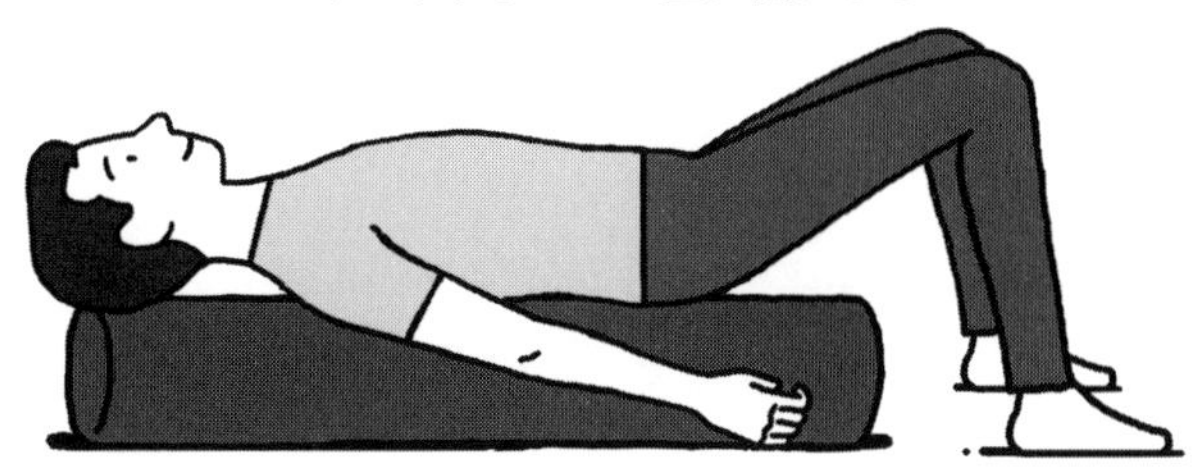

手のひらを上に向けて息を吸いながら頭の上に上げて
息を吐きながら腕を下に下げる動きを5セット
（手の甲が床に軽く触れた状態で）

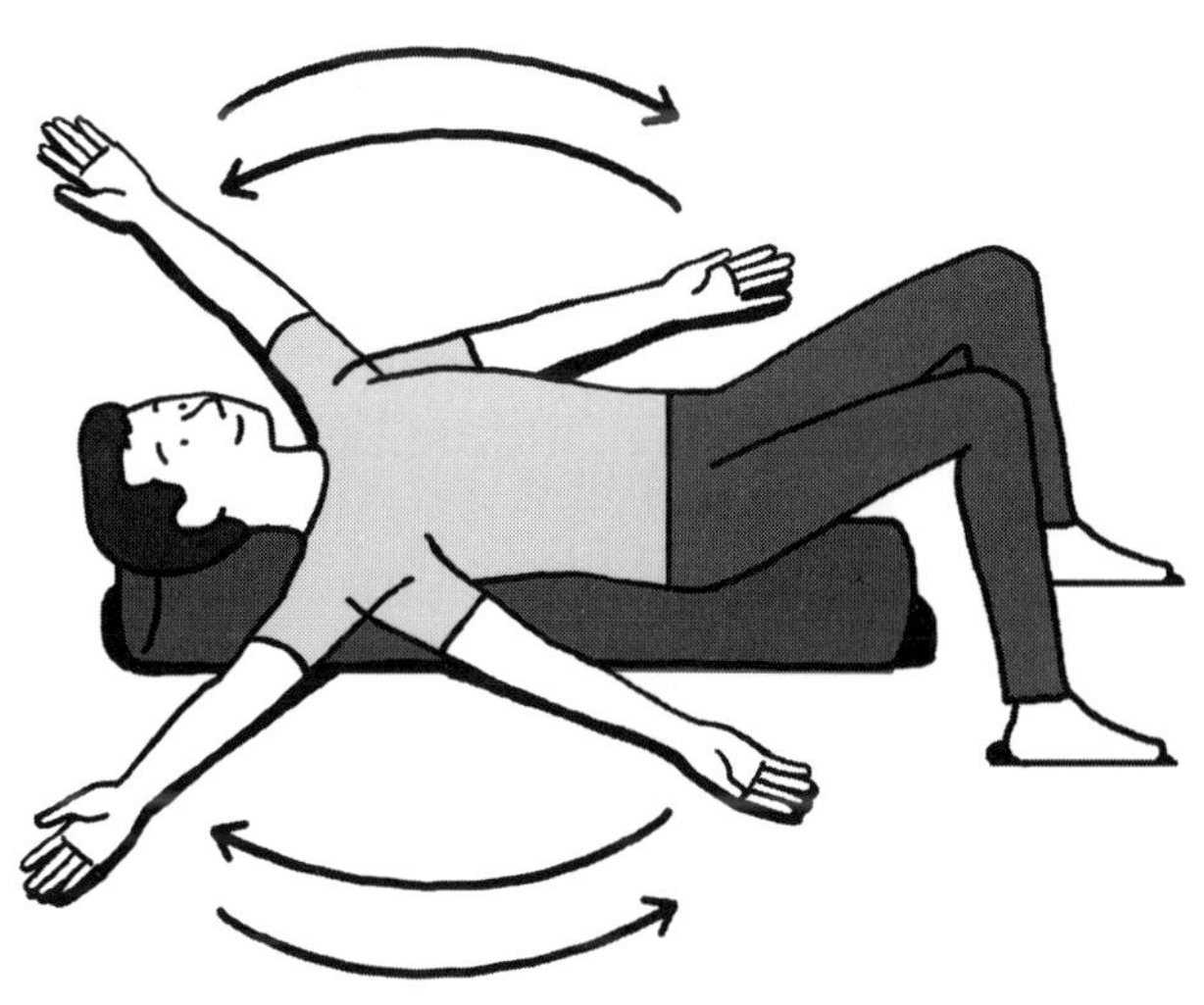

猫背・巻き肩タイプにおすすめの本気コースベスト２位

「ゴムチューブストレッチ」

お手軽コースにあったタオルストレッチを、さらに効果的にするのが**ゴムチューブを使ったストレッチ**です。

ゴムチューブの方が柔らかく、自然な負荷がかけられるので、タオルよりリラックス効果が高いです。使用するゴムチューブは、１００円ショップなどで売っているゴムチューブで十分ですが、より自然な負荷をかけたい方は「セラバンド」というブランドのゴムチューブがおすすめです。

私はセラバンドの背中ほぐしを10年以上愛用していて、出張にも必ず持って行きます。

ゴムチューブを両手に
一周巻きつけて
肩幅より少し広めに持つ
そのまま息を吸いながら
真上に上げて
息を吐きながら後ろに下げる
（ゴムチューブを伸ばして
無理のない幅に調節する）

猫背・巻き肩タイプにおすすめの
本気コースベスト3位

「2アーチリセット」

これは本気コースだけあって、少し手間がかかりますが、背中のアーチをほぐすだけでなく、**本来の形に戻す作用**があります。

ご存じの方も多いと思うのですが、人間の後ろ側は自然なアーチ（カーブ）が3つあります。このアーチを戻すことで体が整い、リラックスして深い睡眠に入ることができます。快眠法の本でもたまに紹介されている方法です。

ちなみに、現代人は猫背の方が大半なので、本音を言えば快眠に入るには本気コースまでしていただきたいと心から思っています。ここに挙げた3つのやり方はどれも劇的なほぐれ効果があるので、ぜひ試していただきたいです。

バスタオルを丸めたものを
2つ作る
寝転がり
首の下と腰の下に入れる
手のひらを上に向けて
3分間横になる
体を起こすときは
ケガをしないように
まず腰を浮かせてから
腰の下のタオルを取る
横に体を倒してから起き上がる

筋肉の緊張持続タイプにおすすめのお手軽コースベスト1位

「暗闇風呂（マインド風呂ネス）」

筋力の緊張持続タイプのお手軽コースで最も効果がある対策は**「暗闇風呂（通称・マインド風呂ネス）」**です。

正直言って、ぶっちぎりの1位です。体のリラックス効果もすごいですが、やってみたほとんどの方が継続するという継続率の高さもすごいです。暗闇風呂はその名の通り、お風呂の明かりをつけないだけなのですが、圧倒的にリラックスできます。

ただし、暗闇風呂にもレベルがあって、まずは浴室の電気を消して、脱衣所の電気をつけておくのが最初のステップです。これなら光もそこそこ入ってきて、かつリラックスを楽しめます。その次のレベルは脱衣所の照明も消してしまって、「外からの光」や「キャンドルの光」で入浴する方法です。**瞑想ができない人でも、サウナで整えない人でも、これで確実に「整う」ことができます。**

筋肉の緊張持続タイプにおすすめのお手軽コースベスト2位

「ソルフェジオ周波数の音楽を聞く」

現場で「これを聴いてから眠りの質が良くなった」という声を多く聞く音楽が、「**ソルフェジオ周波数の音源**」です。ソルフェジオ周波数は特別な周波数で、一番メジャーな528ヘルツを軸に9つの周波数があります。

ネットで調べると、かなりスピリチュアル感のある記事がたくさん出てきますが、国内外でも大学などで病気やメンタルヘルスに改善効果があるという研究結果が発表されています。50代の体が緊張するタイプが、このソルフェジオ周波数（その中でも528ヘルツ）に睡眠改善効果を感じる方が多かったので、今回2位にランクインしました。

ソルフェジオ周波数の音源は、YouTubeやSpotifyのようなサービスで検索すればたくさんヒットするので、手軽に自分好みの音楽を見つけることができます。

筋肉の緊張持続タイプにおすすめの
お手軽コースベスト3位

「ため息ストレッチ」

このタイプは「闘争型」で、バリバリ仕事するタイプに多いです。また筋肉が少なく、常に体に力を入れる必要ある方も緊張が持続しやすいです。

このタイプは布団に入っても、力が抜けずリラックスできないので、なかなか眠れない、もしくは寝ても眠りがずっと浅くなりがちです。

こういったタイプは強制的に体の緊張を解かないと、自然に脱力することができません。50代になると筋肉も落ちてくるので、意外にも体が緊張して寝つきにくくなっている方が多いのです。

この「**ため息ストレッチ**」は、ストレッチの専門家でベストセラー作家の川合利幸(かわいとしゆき)さんと共同開発した、体の緊張が取れない人向けに開発したストレッチです。

ぜひ、お試しください。

あぐらをかいて
片方の足をずらす

ため息をつきながら
頭の上から手を上げて
反対側に倒す動きを
３回繰り返す
（同様に反対側も行う）

一般的なストレッチと明確に違う点は、**「体の柔軟性を上げようとしないこと」**です。とにかくそういったことは一切考えずに、ため息をしながらストレッチっぽいことをするだけで十分です。

一般的には、お風呂上がりや寝る前に、普通にストレッチするだけで快眠に入れますが、体が緊張しやすい人は、普通のストレッチだと緊張が取れないどころか、さらに緊張してしまう人までいます。

体が硬い人は、一生懸命ストレッチをしてしまう傾向があるのですが、体の緊張を取るためには絶対頑張ってはいけないのです。ため息は「はああああああ……」とぜひ声に出してください。声にするかどうかで、かなり効果が変わってきます。

もっと言えば「はあああ」だけでなく、「はあああああへにょへろおおおお……」と意味不明な発声で、体の中にある溜まったものを吐き出すイメージで取り組むと、最も脱力効果が出ます。

「筋肉の緊張持続タイプ」の本気リセット法について

筋肉の緊張持続タイプの本気リセット法では、主に筋肉の外側からアプローチして、筋肉の奥深くまでリラックスさせる、もしくは筋肉に強い刺激を与えた後に反転させてリラックスさせるアプローチになります。

緊張した体は基本的に「力を抜こう」とか「リラックス」しようと思っても、力を抜くことができないようになっています。

そうした方々でもリラックスできる方法として、医学的にも使われている「筋弛緩法」という方法があります。

ただ、この方法は効果があるのですが、少しやり方が難しいのと、（医療の現場での睡眠改善に活用されているので大変言いにくいのですが……）継続率が現場で低いので、現場で実際に効果を感じられて、継続できる脱力法をランクインしました。

筋肉の緊張持続タイプにおすすめの
本気コースベスト1位

「筋トレからのストレッチ」

本気コースの堂々の1位は**「筋トレからのストレッチ」**です。

これは不眠症レベルだった高齢者でも、ぐっすり眠れるようになる人が続出する方法です（ただし、かなりの気力が必要なので、続けられる人が限られてきます）。

この方法は単純に、寝る少し前に筋トレ（スクワットがおすすめ）を行い、その後にストレッチ（ため息ストレッチのような脱力系）を行います。

一般的に、寝る前の筋トレは興奮するのでNGと言われていますが、なかなか眠れない50代以上にとっては、逆によく眠れるようになります。

筋トレで「ああしんどい」からの脱力という流れで、サウナと同じように整います。

今まで睡眠クリニックで教えてもらった筋弛緩法では全然効果がなかった方でも、この「筋トレからのストレッチ」では一気に眠くなる方が多いです。

手を伸ばした状態で
足を肩幅より少し広く取って
ももが床と並行になるまで
膝を曲げる
（疲れる程度まで行う）
足を片足 20 秒ぐらい伸ばす
（両足行う）
そのまま脱力して横になる

筋肉の緊張持続タイプにおすすめの本気コースベスト2位

「温冷浴（サウナ）」

体の緊張をほぐす本気コース第2位は**「温冷浴」**です。最近ではもはやブームというより頑張らずに体を脱力させるには最高の方法です。最近ではもはやブームというより文化に近いものになってきた感のある「サウナ」。現代のストレス社会ではなかなか本当のリラックスができないので、このサウナブームは今後もさらに加速していくと思われます。

サウナは体をリセットするために非常に有効な方法なのですが、「寝る前にできない」「常にできない」「最近はサウナに人が多くて落ち着かない」という欠点があります。それらをすべて解消するのが、この「温冷浴」です。

温冷浴でサウナと似た脱力感を得ることができます。熱いのがどうしても苦手な人は、王道である41℃以下のお風呂に10分以上入る方法で代替してください。

❶ 42℃のお風呂に
3 分入る

❷冷水シャワー（苦手
な方はぬるめのお湯）
を 30 秒浴びる
（❶❷を 2 セット）

❸水気を取ってお風呂
の外でリラックス

筋肉の緊張持続タイプにおすすめの本気コースベスト3位

「マッサージガン」

私は体の緊張が人の数倍取れないので、自分自身でいろいろなグッズを試していきます。マッサージに関するグッズも数多く購入して試してきました。

ただ、従来のマッサージ機は筋肉の表層こそほぐれるものの、リラックスして快眠に入れる状態までになるかと言われれば、数万〜数十万円のマッサージ機でも無理でした。しかし数年前、カリスマトレーナーに勧められて半信半疑で購入したのが「ハイパーボルトゴー」という**ピストル型の小型のマッサージ機**（**マッサージガン**）です。使ってみるところこれが非常に優秀で、体が硬くて緊張が取れない私でも、「つき立てのおもち」のように柔らかくなります。

今までのマッサージ機とは雲泥の差があります。ちなみに、後発メーカーの商品の方が値段は安く、充電の持ち時間も長く、効果はさほど変わらないそうです。

硬いと感じる場所に
マッサージガンを
20秒当てる

硬いところの周りを
20秒かけて回す

「内臓の緊張持続タイプ」について

50代になると内臓の機能が衰えて、夕食の時間が少し遅かったり、食事内容がヘビーだったりすると、すぐに睡眠に悪影響が出ます。

ここで特に問題になってくるのが**「胃の消化能力」**です。胃の中に食べ物がある状態は、体が運動している状態と同じなため、リラックスすることができません。

食べ物が胃を通過して腸まで届くと、人はリラックス状態に入れます。

したがって、**快眠したいのであれば、50代の衰えた胃のレベルに合わせた夕食・夜食にすることが基本**です。

個人差が大きいのですが、アルコールやカフェインの分解能力も、50代から激減するので注意が必要です。50代になると、カフェインの覚醒(かくせい)効果が半減するまでに要する時間が、平均で2倍になるというデータがあります。

内臓の緊張持続タイプにおすすめの
お手軽コースベスト1位

「腹式呼吸」

お手軽コースで最も効果がある対策は「**腹式呼吸**」です。

呼吸は、自律神経に直接アプローチできる、ほとんど唯一の方法です。

多くの方が深呼吸や腹式呼吸がリラックスにつながることを知っていても、なかなかコツをつかむのが難しく、始められない人や継続できない人が多いのも事実です。

そこで、多くの人が効果を実感できて、継続できる方法をお伝えします。

その方法は**布団に横になって、10回腹式呼吸をするというやり方**です。

腹式呼吸は実は寝て行う方法が、最も分かりやすくて誰でもできるようになります。

内臓の緊張持続タイプにおすすめのお手軽コースベスト2位

「ヤクルト1000」

私はヤクルトの回し者ではありませんが、「ヤクルト1000」は定期購入しています。ストレス値が高い人にはほぼ明確に効果が出ます。

人によってはヤクルト1000を飲んでいるときと飲んでいないときで、睡眠スコアが10以上変わる人もいます。

近年、腸内環境が良くなることで、睡眠の質が上がることが分かってきましたが、どんな食品を食べれば睡眠の質が良くなるのかまでは、実際のところまだよく分かっていません。その中で**ヤクルト1000は、実際に睡眠改善効果を実感できる数少ない食品です**。ただし、注意点としては、誰にでも快眠効果があるわけではなく、効果が出るのはストレス値の高い人です。基本的にヤクルト1000は大きなストレスがかかったときに、そのストレスを低減する効果が研究で証明されている食品です。

内臓の緊張持続タイプにおすすめの
お手軽コースベスト3位

「寝る1時間前には食事をしない」

基本的すぎてランクインさせるべきか迷ったのですが、継続率と効果の高さから、**「寝る1時間前には食事をしない」**をお手軽メソッドのベスト3にしました。

寝る2時間前や3時間前は「どうしてもできない」方が多いのですが、この寝る1時間前なら実践できる方が多いです。とにかく夜遅く帰宅して、ドカ食いして寝るのは、胃が働くのですぐに寝られても睡眠の質が悪くなります。

帰りが遅くなるときは、会社の近くのコンビニやファストフード店でイートインして、なんとか寝るまでの1時間を確保するようにするだけで、内臓の状態と睡眠の質がかなり変わります。

内臓の緊張持続タイプにおすすめの本気コースベスト1位

「寝る3時間前から食べない」

本気コース堂々の1位は「**寝る3時間前から食べない**」です。

この方法はとても地味ですが、快眠には最も効果的です。

ヨーロッパの強豪サッカーチームは、睡眠の改善にかなり力を入れていますが、質の高い睡眠のために最も注意しているのが寝る前の食事です。

食事の基本として、寝る前の3時間は何も摂らないことを原則としています。

一般の方はトップアスリートほど厳密に時間を気にする必要はありませんが、50代を過ぎると、寝る前の食事を控えれば控えるほど、睡眠の質が良くなるケースが多いのは事実です。

内臓の緊張持続タイプにおすすめの本気コースベスト２位

「みぞおちマッサージ」

ストレスが溜まると一番固まりやすい内臓は「みぞおち」と言われています。

みぞおちをマッサージでゆるめると、次第に腹筋が緩み、最後には内臓全体がリラックスできて、お腹の辺り全体がじんわりとしてきます。

内臓系が緊張するタイプには、最も効果を感じやすいマッサージです。

腹式呼吸がうまくできない人は、内臓が緊張していることが大きな原因であるため、腹式呼吸にチャレンジする前に、まずこちらに取り組むのが良いかもしれません。

みぞおちの周りを
時計回りにほぐす

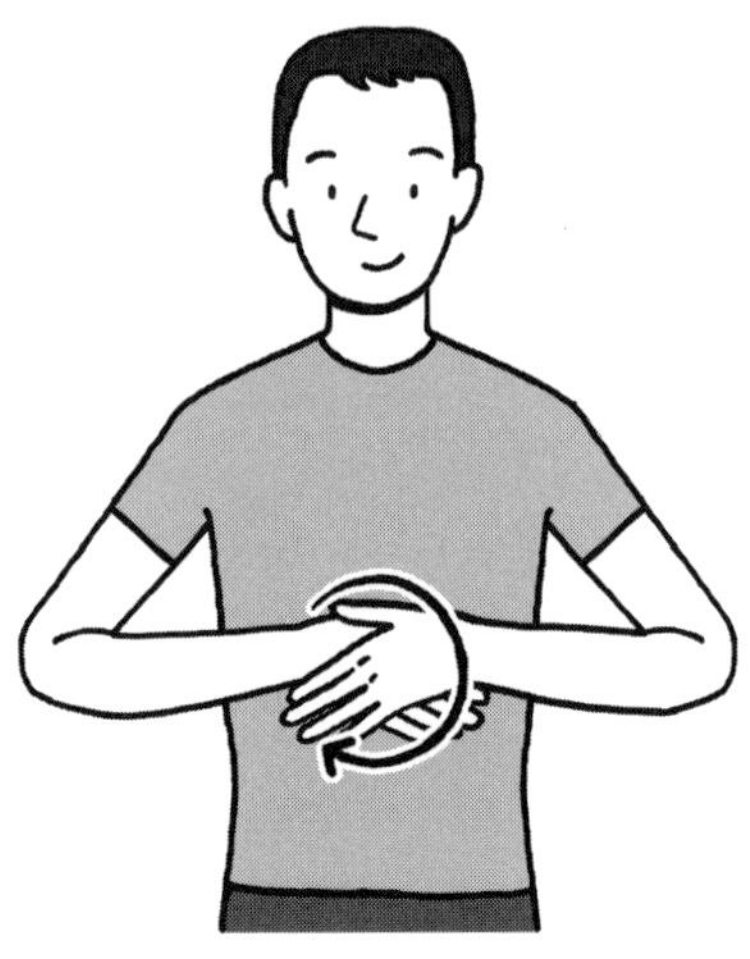

みぞおちの下を
4本指で押しほぐす

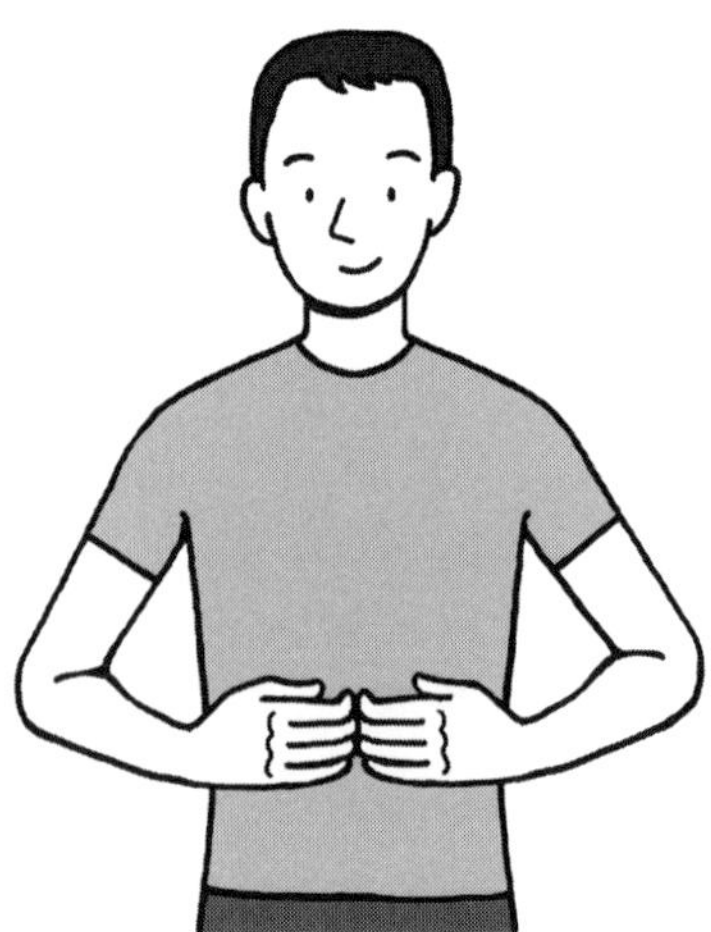

内臓の緊張持続タイプにおすすめの本気コースベスト3位

「腹巻きをする」

購入さえしてしまえばお手軽レベルなのですが、買うのに「本気」が必要なので、本気メソッドに入れました。

腸は基本的に温めることで活動が安定し、リラックス状態になります。**最近では腸を温めるだけで腸内環境が良くなるという研究結果**も出てきています。最もリーズナブルな腸活ともいえます。

腹巻きは少しダサいイメージがあり、最初のハードルはかなり高いのですが、実は腹巻きはエグゼクティブ、芸能人、アスリートも多く活用されています。

選ぶときのおすすめは、綿などの自然素材を選ぶことです。50代になると化学素材だとかゆくなる人が多いからです。また綿は保温効果も高いので、その点でもおすすめです。

コラム

「ミニマム習慣術」

いよいよ習慣化コラムも後半に入ってきました。4番目にご紹介する「**ミニマム習慣術**」ですが、この習慣術の成功率は凄まじいです。

今まで一度も習慣化に成功しなかった人たちでも、かなりの確率で習慣化に成功します。今回ご紹介する中では、最もおすすめできる習慣術です。

この習慣術はやってみると分かるのですが、失敗できないほど簡単でミニマムな習慣を実践するため、どんどん成功体験が積み重なっていきます。

挫折感がなく、自己肯定感がどんどん高くなっていく仕組みになっているのです。

この方法は基本的に習慣化が苦手な人向けですが、習慣化がもともと得意な人、習慣化が上手になった人でも、かなり使える有効な方法です。

それは「**苦手ジャンル**」に使うことです。

例えば、私は基本的に習慣化が得意ですが、「運動系」の習慣化は苦手です。そこで、このミニマム習慣術を使って「腕立て伏せ5回」に設定しているのですが、毎日継続できています。

調子の悪い日は本当に5回しかしませんが、ほとんどの日は結局かなりの回数をしっかりやることになります。ミニマム習慣術、恐るべしです。

ステップはシンプルに次の2つだけです。

◎ステップ1　「毎日これだけはやる」という習慣を決める

◎ステップ2　行動の難易度を「最小限」に設定する

たったこれだけの習慣術ですが、「もうちょっとやろうかのおまけ精神」を利用しているので、本当に気づけばまあまあやってしまうのです。

ハードルが低いので「まあこれくらいはやろうか」と思ってスタートすると、「せっかくやったし、もうちょっとやろうか」という気に本当になるのです。

人間は「**行動の最初の1歩**」が一番大変なのです。

そのことをよく分かっている、本当によくできた習慣術です。

ただし注意点が1つあります。

それは**慣れても「行動の難易度」は絶対に上げないこと**です。

うまくいきだすと、ほとんどの方が「もっといけそうだ」と思って、設定を上げてしまうのですが……ここで難易度を上げるとたいてい失敗します。

苦手分野に関しては、少しやるだけで本当に効果があることが多いので、何よりも継続することが重要なのです。

寝る前に
脳をリセット
する方法

脳の暴走を止めて快眠を手に入れる

ここまで50代が快眠になるために「睡眠環境」を変える、睡眠圧を上げる、体をリセットするなど、かなりいろいろと取り組まれたと思います。

おそらくこの時点で、合計3つ以上取り組まれた方のほとんどが、かなりの睡眠改善効果を感じていることでしょう。

ただし、ここまでいろいろやってみて改善効果を感じているものの、「快眠」レベルまで改善しない人も一定数出てきます。

そのような方々は残念ながら、快眠になるための最後のラスボスとも言える「脳の暴走」を止めることができていない可能性が高いです。

脳が興奮・暴走しているのをリラックスさせることは、「体のリラックス」より数倍難しいです。20代～30代で脳をリラックスさせることができる人は、超トップアスリートや超ハイパフォーマーなど、ごく一部の人に限られます。

50代はどの世代よりも「学習能力」が高い！

一方で、50代のみなさんに朗報があります。

50代はさまざまな機能や能力が衰えていく代わりに、新しい能力を身につけられる年代でもあるそうなのです。

マサチューセッツ工科大学の認知科学行動学者ジョシュア・ハーツホーン博士らが、10歳～90歳までの数千人に対して行った、年齢と知性の関係の研究によると、50代で「新しいことを学ぶ・理解する能力」がピークになることが分かってきたのです。

要するに、**50代は今までできなかった高度なスキルを身につけることに適した年代**とも言えます。

私がこの本で最も書きたかったことは、実はこの章に詰まっています。

私も含め多くのビジネスパーソンが、瞑想やマインドフルネスなど、心を整えるスキルにチャレンジして、何度も挫折(ざせつ)してきたことでしょう。

サウナでは「整う」ことができる人は数多くいても、瞑想で「整う」ことができる人はほんの一握りです。

しかし、脳をリラックスさせるスキルは、先ほどお伝えした「50代になってピークを迎える学習能力」を駆使すれば、かなりの確率で使えるようになります。

私自身、10年以上ほとんど効果がなかった瞑想やマインドフルネスが効果的に使えるようになり、50代になって初めて寝る前にお酒なしでリラックスできるようになりました。

私だけでなく、多くの50代の方も同様に、今までできなかったマインドや脳をコントロールできるようになれる方が多いです。

ぜひ、50代ならではの能力を活かして、「脳のリラックス」を成功させて、どんな辛いことや悲しいことや大きなストレスがあっても、質の高い睡眠が取れるように進化していきましょう。

寝る前の脳が整っていない3つのタイプ

寝る前の脳が「整っていない状態」は、大きく分けて3タイプあります。

1つ目は不眠系に最も多い**「妄想・不安が止まらないタイプ」**です。このタイプは「うつ」になりやすく、50代の8割が経験するミドルエイジクライシス（50代に特有な人生の行き詰まりや老後の不安が一気に襲いかかる現象）で、さらに眠れなくなることが多いです。

おそらく今までさまざまな対策をされてきた方が多いと思いますが、それほど効果が上がらなかったことと思われます。まずはお気軽コースで効果を感じつつ、いずれ本気コースで最終解決することをおすすめします。

2つ目は**「依存性行動が止まらないタイプ」**です。

夜になると「飲酒」「過食」「ゲーム」「ネットサーフィン」などがやめられずに、眠れないタイプです。

脳の報酬系回路がどんどん強化されて、自分で自分の行動が抑えられない状態が依存の基本メカニズムです。

脳の状態が物理的に変化するほどの重度であれば治療が必要になってきますが、仕事や日常生活に支障が出ていないレベルであれば、どうにかコントロールできるように改善される可能性は高いです。

最後の3つ目は「**仕事・勉強モードが止まらないタイプ**」です。

以前はこのタイプは少なかったのですが、テレワークや在宅ワークの増加とともに激増しています。

実際には家族がいたりして、頭を切り替えざるを得ない人以外は、かなりの確率で仕事スイッチが切れずに、脳がリラックスできなくなっています。

当然、睡眠の質が下がり、寝つきが悪くなって、少しずつ睡眠が悪化しているタイプです。

妄想・不安が止まらないタイプ

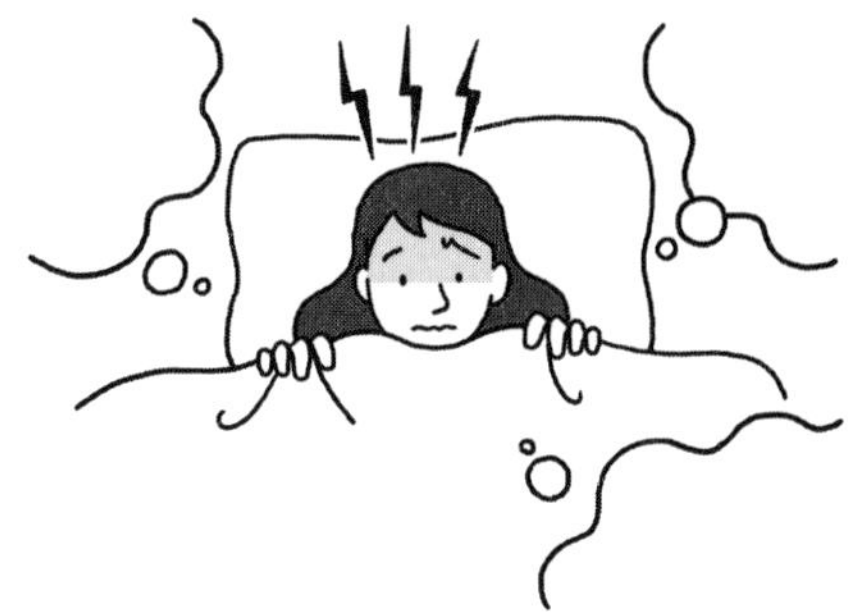

依存症行動が止まらないタイプ

仕事・勉強モードが止まらないタイプ

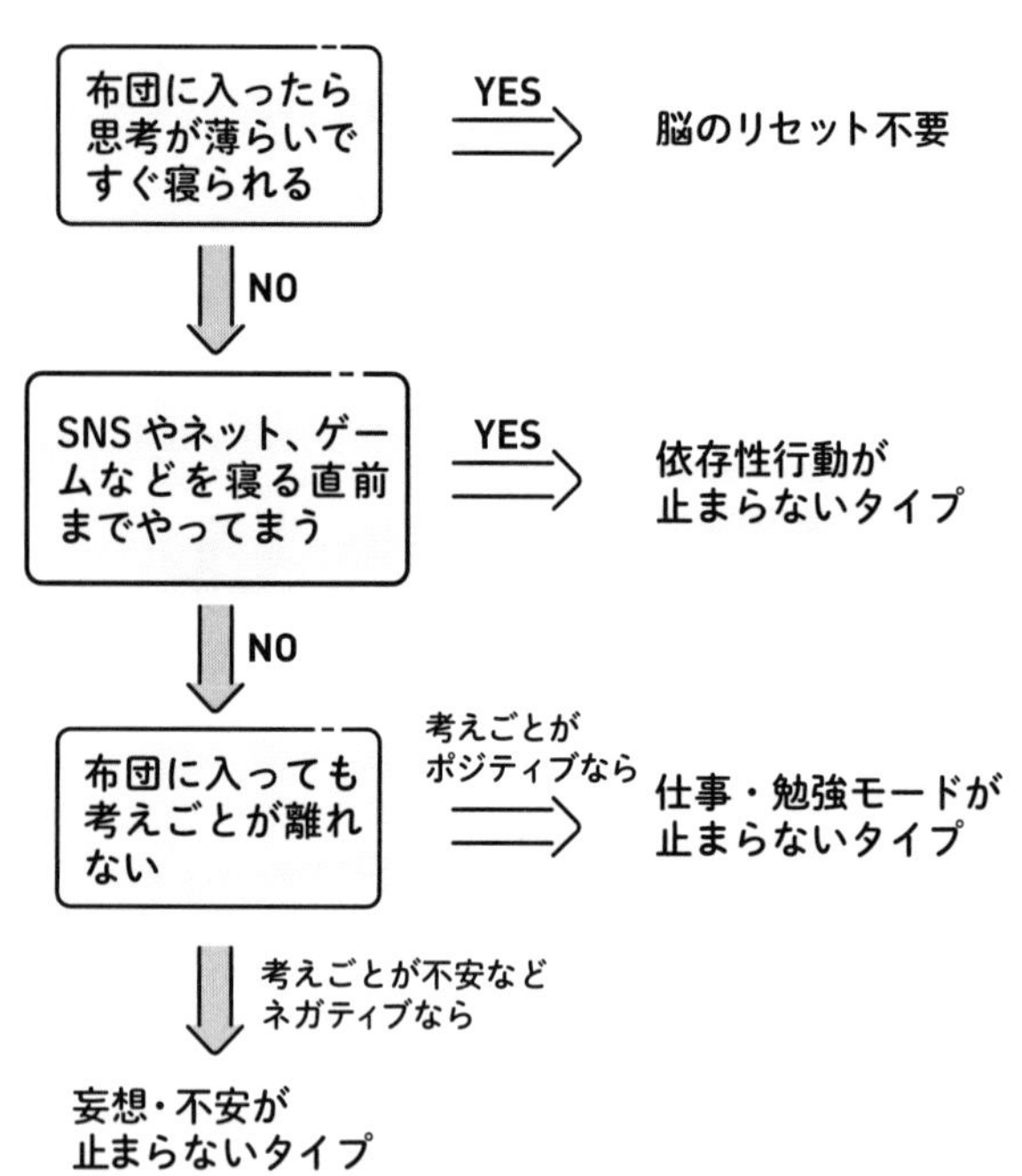
あなたはどのタイプ？
布団に入ったら思考が薄らいですぐ寝られる
YES
脳のリセット不要
NO
SNSやネット、ゲームなどを寝る直前までやってまう
YES
依存性行動が止まらないタイプ
NO
布団に入っても考えごとが離れない
考えごとがポジティブなら
仕事・勉強モードが止まらないタイプ
考えごとが不安などネガティブなら
妄想・不安が止まらないタイプ

「妄想・不安が止まらないタイプ」のリセット法について

寝る間に思考が止めることができず、眠れない人で最も多いのがこのタイプです。

こういった思考のクセは、日本人に多いとされる「**不安遺伝子**」と呼ばれる遺伝子の有無や、親からの遺伝もあるので、先天的な要素が非常に高いです。

このタイプは基本的に、妄想や不安のループを意図的に止めることはできません。

対策としては「**思考を吐き出す**」「**他のものに意識を向ける**」のが基本になります。

最終的には、かなり高度になりますが、妄想・不安におちいっている自分を客観視して、冷静になれるようにするのがゴールです。

いきなり高度なスキルは身につけられないので、まずはできそうなことから積み上げていくと、確実に妄想・不安のループから抜けやすくなっていきます。

妄想・不安が止まらないタイプにおすすめの
お手軽コースベスト1位

「3行日記」

お手軽コースで最も効果がある対策は「**3行日記**」です。

お手軽な中では最も継続率が高く、特に男性に効果が高いリセット法です。日記などの紙に書く行為は、頭の中のループをいったん断ち切るには非常に有効です。3行日記で書くテーマとしては「**感謝日記**」が最も現場でも改善効果が高いです。

その理由として、不安の大きな原因は「孤独」や「先が分からないこと」ですが、感謝をすることで「自分だけではない」「いろいろな人のおかげで今を生きられている」といったことに気づくことができるからです。3行であればメンタルが疲れていても書けますし、書いた後も不安が残る場合は、それまでに書いてきた感謝日記を読み返すことで「こんなに多くの人やコトに支えられている」と思えてきて、不安ループがかなり解消されます。

妄想・不安が止まらないタイプにおすすめの
お手軽コースベスト2位

「スージングタッチ」

これも同じく、寝る前に不安が止まらない人向けのプログラムで学んだスキルなのですが、**スージングタッチ**が最も活用して効果を感じる人が多かったです。

「スージングタッチ」とは、自分の手のひらで優しく自分をなだめるようにタッチするスキルです。

これは軽度な不安・妄想ループの人にも非常に有効な手段です。

ベスト3位に紹介する「タッピング」より、不安を低減する効果が高いです。おそらくメンタルのセルフケアでも、最も活用されているスキルでしょう。

ただ、欠点として、スージングタッチに依存してしまうケースがあることです。特に悩みが大きいときには、スージングタッチをすることで涙が止まらなくなるケースもあります。人によっては不安から抜けられなく人もいるので、注意が必要です。

その手で
反対側の胸のあたりを
さする
（1分から2分くらい）

片方の手を振り

反対側もさすって
その際に
「今日もがんばったね」
などの声かけをする

妄想・不安が止まらないタイプにおすすめのお手軽コースベスト3位

「タッピング」

タッピングは私がストレス軽減のマインドフルネスを受講したときに学んだスキルです。指先で手や腕、体をトントンと叩いて、意識を体に移し、リラックスさせる手法です。

実際にメンタル不調を抱え、寝るときに不安の反すう（繰り返し）をしてしまう人に試してもらったところ、不安解消の手法としてかなり重症な方にも有効でした。軽度の妄想・不安が止まらない人でしたら、現場でもかなり継続率も高く、効果を感じる方が多いです。

コツは自分がタッピングしやすく、落ち着く場所を見つけることです。私は「眉」と「鎖骨」のタッピングが効果的でした。自分の不安ループに気づいたときには、まず「眉」をタップして、負のループからいったん抜け出るようにしています。

こめかみの辺りを
指で20回トントン叩く
耳の後ろも20回トントン
終わったら
深呼吸を3回

「妄想・不安が止まらないタイプ」の本気メソッドについて

お手軽メソッドでは、軽く体に触れる系や簡単な日記という超簡単で継続できることが何より目的でした。これから紹介する本気メソッドでは、お手軽メソッドのような対症療法ではなく、根本的な解決をする手法になっていきます。私は基本的に個人（セルフ）で解決することを基本としていますが、思考については最も変えにくい分野なので、他力を使うのも仕方なしと思っています。ただ、「思考を変える」というのは、一歩間違えれば洗脳や入信というリスクもあります。

ここで最も重要なことは、信用できる人や組織にサポートしてもらうことです。

この機会に本気メソッドのスキルが身につけば、一生不安や妄想とうまく付き合えて、高ストレス下でも快眠できるようになれます。

妄想・不安が止まらないタイプにおすすめの
本気コースベスト1位

「マインドフルネス・ストレス低減法」

マインドフルネスのプログラムにはさまざまな種類があるのですが、不安や妄想の渦中に入っている自分に気づき、まさにそのループから抜け出すことに特化したのが、**「マインドフルネス・ストレス低減法（MBSR）」の正式な8週間プログラム**です。

私も今まで数多くの不安解消や瞑想プログラムを受講してきましたが、確実に不安思考のループから抜けられることはありませんでした。ところが、このプログラムでは4週間あたりから、明確に不安思考を客観視できるようになり、8週間後にはかなりの参加者が不安を減らし、ストレス値を低減させていました。毎日、数十分のワークを行えば、かなりの高確率で妄想・不安を手放すスキルが身につきます。

【参考サイト】現代マインドフルネスセンター　https://mbsr.science/

妄想・不安が止まらないタイプにおすすめの本気コースベスト2位

「ロボットセラピー」

おそらく、「**ロボットセラピー**」という言葉を初めて聞いた方もいるかもしれません。

ドッグセラピーと同じく、**ロボットに触れることによる不安解消法**です。

ペット（動物）による不安解消効果は、多くの方が実感されていると思うのですが、この方法にはいくつか欠点があります。ペットの世話が大変なことや、旅行に行きにくいことです。またペットの死によるペットロスのリスクも大きいです。

メンタルが不安定な傾向の方は、無理してペットを飼うのではなく、ロボットに癒してもらった方が賢明です。最新のロボットは非常に優れていて、本物のペットとまでは言いませんが、確実に不安やストレスを解消してくれるレベルまで進化しています。実際に最近は、多くのペットを飼えない不安症の方や施設で、症状改善の効果が出ていますし、現場でもロボットで癒される方が急増しています。

妄想・不安が止まらないタイプにおすすめの本気コースベスト3位

「ジャーナリング」

ジャーナリングは前著『働くあなたの快眠地図』（フォレスト出版）でも、寝る前の不安を消すためのスキルとして紹介した、不安ループを解消する代表的なスキルです。

さまざまなやり方があるのですが、**基本的には頭の中にあるモヤモヤをひたすら紙にどんどん書いていくだけの単純なアクション**です。

しかしこの単純作業がきわめて効果があり、現場でも「どうしても眠れないのが、ジャーナリングで改善しました」という声をよく聞きます。

50代の方は紙派の方が多く、紙の手帳やメモを使っている方も多いです。それゆえジャーナリングのハードルが低く、継続率も非常に高いです。

参考図書としては木蔵シャフェ君子・荻野淳也著『心のモヤモヤを書いて消すマインドフルネス・ノート』がおすすめです。

「依存性行動が止まらないタイプ」のリセット法について

最近はテレワークや働き方が自由になったことで、セルフマネジメントができる人とできない人に大きな差が出てくるようになりました。

また以前より確実に各個人が興味を引くようなインターネットのアルゴリズムが進化してきたため、かなり意志力の強い人でも、ネットやSNSがやめられなくなってきています。

特に睡眠前の意志力が低下する時間帯になると、「あともうちょっとだけ」と思っても、エンドレスに行動を続けてしまう人が急増しています。

こういった脳の暴走には、依存症対策としてエビデンスがあるやり方をベースにした対処法が有効です。

依存性行動が止まらないタイプにおすすめの
お手軽コースベスト1位

「認知行動療法アプリ」

お手軽コースで最もおすすめする方法は「**認知行動療法アプリ**」です。

私も使っていて効果を感じています。最近はいろいろなアプリが出ていますが、有名で効果が高いと評判なのが「**Awarefy**」や「**こころの日記**」などです。

以前から睡眠を改善する認知行動療法系のアプリはあったのですが、使いづらいために継続しにくかったり、効果が出にくいレベルでした。

しかし、最近は私自身も継続して効果が感じられるレベルまで使いやすくなり、自分以外でも使った人の多くの方の依存性行動が減り、効果を実感しています。

【おすすめアプリ①】Awarefy　https://www.awarefy.com/app/

【おすすめアプリ①】認知行動療法「こころの日記」

Awarefy

こころの日記

依存性行動が止まらないタイプにおすすめのお手軽コースベスト２位

「４７８呼吸法」

依存症克服の基本に呼吸法があります。少しお手軽ではないかもしれませんが、効果があって継続率が高いのが「**４７８呼吸法**」です。

アメリカのアンドルー・ワイル博士が提唱している呼吸法で、**不安を消し、緊張状態を解除する効果のある呼吸法**です。依存症行動があるといっても、一心不乱に続けられる人はそうそういないので、少し休憩がてらにこの４７８呼吸法を行うと、一気に「やめてもいいかな」という気持ちになります。

要するに、**依存症行動の元になっている脳の扁桃体の暴走が治まる効果**があるわけです。軽めの依存症なら、休憩時にこの呼吸法でかなりやめられるでしょう。呼吸が苦しく感じると効果が薄れるので、慣れるまでは「４７４呼吸法」でも十分効果があります。

最初に息を吐き
4秒かけて鼻から息を吸う
その後、息を7秒間止めて
8秒かけて吐く
（3セット）

依存性行動が止まらないタイプにおすすめのお手軽コースベスト3位

「終わりの時間を決めてリマインドする」

「終わりの時間を決めてリマインドする」は非常に簡単な方法ですが、軽度の依存症には効果があります。

要はきっかけがあれば、やめられるということになります。

応用編として、やめたい30分前に「あと30分で終了です」というリマインドを設定して、画面が少し暗くなる設定をしておくと効果が倍増します。

最近のスマホやパソコンでは、リマインドだけでなく、時間になると強制的に使えなくなる機能も標準装備しているタイプが増えてきているので、併用するとさらに効果的です。

「依存性行動が止まらないタイプ」の本気のリセット法について

お手軽コースで紹介したメソッドは、それほど依存性が高くない「ついやってしまう」「ついやめられない」という方には、かなりの効果があります。

ところが、長年習慣になっているアルコール依存やネット依存などの習慣は、お手軽コースでは効果がないか、たとえあったとしても高が知れた程度です。

この本気メソッドでは、**かなり手強い依存性行動を確実に減らす方法**を紹介していきます。

依存性行動が止まらないタイプにおすすめの
本気コースベスト1位

「依存症のためのマインドフルネス」

先の不安を和らげるためのマインドフルネスは、「マインドフルネス・ストレス低減法」というプログラムでしたが、依存症を克服するには「**依存症克服用のマインドフルネス**（**MBRP**）」**という8週間のプログラム**が非常に有効です。

私もこの8週間プログラムでアルコールを完全にやめることに成功し、いまだに継続しています。かなりハードな内容の8週間でしたが、自分自身がお酒を飲みたくなるトリガーや衝動のクセが分かり、大変興味深かったです。私は「**マインドフルネス心理臨床センター**」という所で受講しましたが、大変サポートも手厚く、分かりやすく、挫折（ざせつ）せずに成功させることができました。

【参考サイト】マインドフルネス心理臨床センター

https://mindfultherapy.jp/

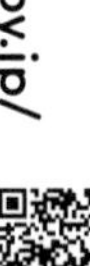

依存性行動が止まらないタイプにおすすめの
本気コースベスト２位

「依存症コミュニティへの参加」

依存症も、重度なものになると、なかなか自分でコントロールすることは難しいです。家族やサポートしてくれる人と住んでいたり、近くにいると、なんとか環境によってコントロールできるようになる可能性が高いのですが、一人暮らしだとかなり難しいです。そのような場合は**依存症コミュニティへの参加**がおすすめです。

私はアルコール依存から脱出していますが、戻らないようにコミュニティに所属して、現在進行形の人をサポートしながら、自分自身が戻らないようにしています。

アルコールでもＳＮＳでも、依存症のためのコミュニティはいくつかあります。一番有名なのはＡＡ（アルコホーリクス・アノニマス）で、入会も会費も無料です。

【参考サイト】ＡＡ日本ゼネラルサービス　https://aajapan.org/

依存性行動が止まらないタイプにおすすめの
本気コースベスト3位

「徹底した環境対策」

「**徹底した環境対策**」は、依存症対策の基本中の基本になります。

お手軽コースで依存性行動をやめるためにスマホやスマートウォッチ、パソコンなどでリマインドするという方法がありました。あの方法では「はっ」と気づくことでやめるきっかけをつくるのですが、依存度の高い行動では、あまり効果がありません。

たとえばアルコールであれば、家の中にアルコールは一切置かないようにします。飲む分だけをその前に買うようにします。そして周りの人間にも「22時以降は飲まない」と宣言するなど、**周りの人間を巻き込むのはかなり効果的です。**

お子さんがいれば、お子さんに宣言するが最も効果的です。

そして、リマインドを何回も設定します。

見えるところに依存性行動をセーブした日に◯をつけて「**見える化**」します。

「仕事・勉強モードが止まらないタイプ」のリセット法について

この問題も依存症と似ていて、現代社会ではかなりおちいりやすく、睡眠障害となる大きな要因になっています。

テレワークや在宅ワークが増えてから、法人の睡眠改善サポートで最もよく聞く悩みが**「仕事モードから切り替えられなくて、なかなか寝られない」**という悩みです。

家族がいて、さらにお子さんがいるご家庭はまだましですが、一人暮らしだとずっと職場で寝泊まりしている感覚になってくるようです。

ほとんどの家庭が仕事専用の部屋やスペースがないのが普通なので、生活と仕事がごっちゃになります。

このような現代においては、仕事モードをオフにできるスキルを身につけないと、いつまで経っても脳がオンモードで、質の高い睡眠を取ることができないのです。

仕事・勉強モードが止まらないタイプにおすすめの
お手軽コースベスト1位

「照明のモードを切り替える」

お手軽コースで最初におすすめする方法は**「照明のモードを切り替える」**です。
もっと具体的に言うと、白色系の照明から暖色系の照明に切り替えるのです。これだけでかなり仕事・勉強モードからオフモードに切り替わります。

人間は視界に入ってくる情報によって、自身の緊張感が大きく変わります。

昼は白色系の照明をマックスの光量で使い、仕事が済んだら暖色系（黄色・橙色系）に切り替えて、少し光量を下げれば、確実に仕事オフモードになれます。

最近は光の色が自在に変えられて、光量も多段階で変えられる天井照明が、有名メーカーでも1万円以下、リーズナブルなブランドなら5000円程度で購入することができます。タイマーで24時間光の明るさや色をあらかじめ設定できるタイプも1万円以下で購入することが可能です。

仕事・勉強モードが止まらないタイプにおすすめの
お手軽コースベスト2位

「仕事ツールを隠す」

非常に簡単で単純に、仕事・勉強モードがオフにできるのは「**仕事や勉強のツールを隠す方法**」です。

仕事専用の部屋があると、その部屋を出れば、視界に入ることがないのでかなりオフに切り替えられます。

しかし、専用の部屋がない人でも、仕事や勉強のツールにカバーをかけたり、しまったりして視界に入らないようにするだけで、同様の効果が期待できます。

仕事・勉強モードが止まらないタイプにおすすめのお手軽コースベスト3位

「歩行瞑想（家の中バージョン）」

テレワークになって仕事モードがオフにできない最大の要因は「通勤」がなくなることです。通勤電車に悩まされないことは大きなメリットですが、人間はいきなり仕事モードをオフにできないので、「通勤」はちょうど良い緩衝材だったのです。

通勤と同じ役割をするのがこの「**歩行瞑想**」です。その名の通り、歩く瞑想です。普通に座って行う瞑想よりはるかに簡単で、瞑想ができない人でも十分にできて、習慣化しやすいです。**やり方は簡単で、足の裏に意識を向けながら歩くだけです。**

一番良いのは、外で自然の中で行う方法ですが、部屋の中や廊下を歩行瞑想するだけでも、かなりオフモードに入ることができます。足の裏に意識を向けて歩かないと、歩行瞑想にならず、仕事モードが抜けないので、その点だけ注意すれば、お手軽に仕事モードをオフにすることが可能です。

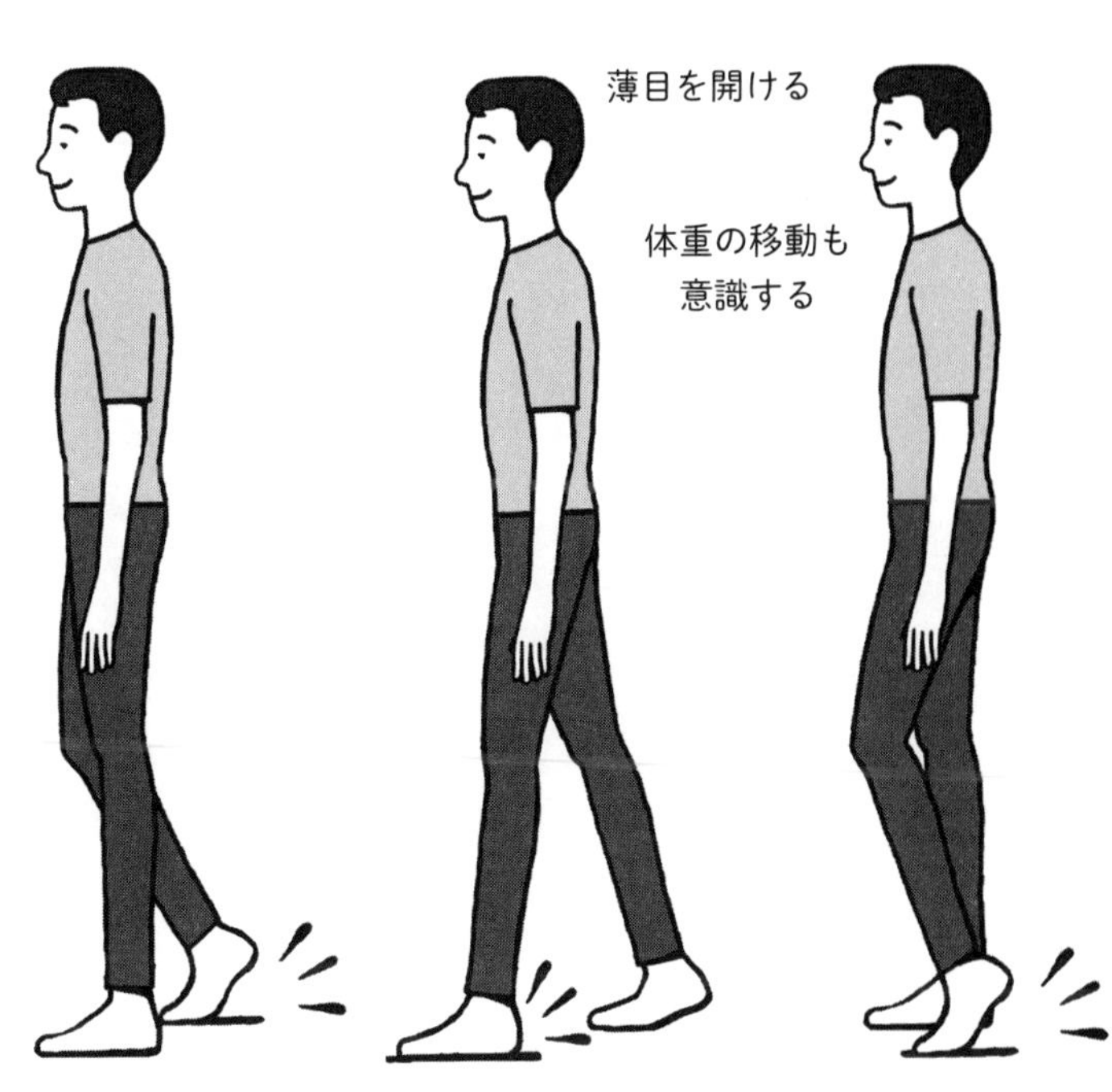
薄目を開ける
体重の移動も
意識する
今度は反対の足が
地面から離れるのを
意識する
足の裏が
地面に着くのを
意識する
足の裏が
地面から離れるのを
意識する

「仕事・勉強モードが止まらないタイプ」の本気のリセット法について

お手軽モードでは、主に環境に少し工夫を加えることによって、仕事モードをオフに切り替えるようにしているのですが、仕事モードから抜けられないかなり重症の人では、これだけでは切り替わらないことが多いです。

本気メソッドは、元々仕事が好きだったり、通勤していても仕事モードが抜けない人におすすめの方法になってきます。私は多くの50代のワーカホリックの方々の睡眠改善をサポートしていますが、**仕事モードからいったん離れられるようになってからの方が、良いビジネスアイデアが浮かぶようになった**とよく聞きます。

1つでも十分効果がありますが、複数実践すると、かなり仕事モードから抜けられるようになるので、ぜひトライしてみてください。

仕事・勉強モードが止まらないタイプにおすすめの本気コースベスト1位

「頭を冷やす」

この方法は原始的ですが、脳を自分でクールダウンできない人にとっては非常に有効な方法です。頭を冷やすことで「クール」になれて、眠くなる方法です。

保冷剤やアイスまくらが100円ショップで手軽に手に入ります。

ただ、2つだけ注意点があります。

1つ目は**耳より上の頭の上部だけ冷やすようにすること**です。頭の下部は冷やすと、脳がさらに活性化すると言われているので、その点だけは注意が必要です。

2つ目の注意点は、**冷やすものが硬すぎないこと**です。保冷剤にしてもタオルにしても、カチカチに凍らせると痛くてリラックスできません。

事前に冷凍庫から出しておいて、適度に少し柔らかくしておくと、気持ちよく寝られます。

仕事・勉強モードが止まらないタイプにおすすめの本気コースベスト2位

「認知シャッフル睡眠法」

この方法はほとんどの方が聞いたことがないと思いますが、実は自然にやっている方が多い入眠法です。**認知シャッフル睡眠法**とは、大脳皮質が理論的な活動をしているうちは、脳が「まだ寝てはいけない」と判断してしまうので、なんの脈絡のない言葉や動画でイメージを連想させ「寝ても良い」というモードにする睡眠法です。

簡単に言うと、今の現実とあまり関係もなく、興味を引くものでもなく、オチもない、眠くなる話を聞いて眠くなるみたいな感じです。

私は実はこの方法は全然効果がないのですが、お酒がないと寝られないという重度な方に劇的な効果があるケースが多いです。

この認知シャッフル睡眠法は、この方法の音声や動画が YouTube や Spotify などで簡単に見つかります。アプリもいくつか出ています。

認知シャッフル睡眠法のやり方

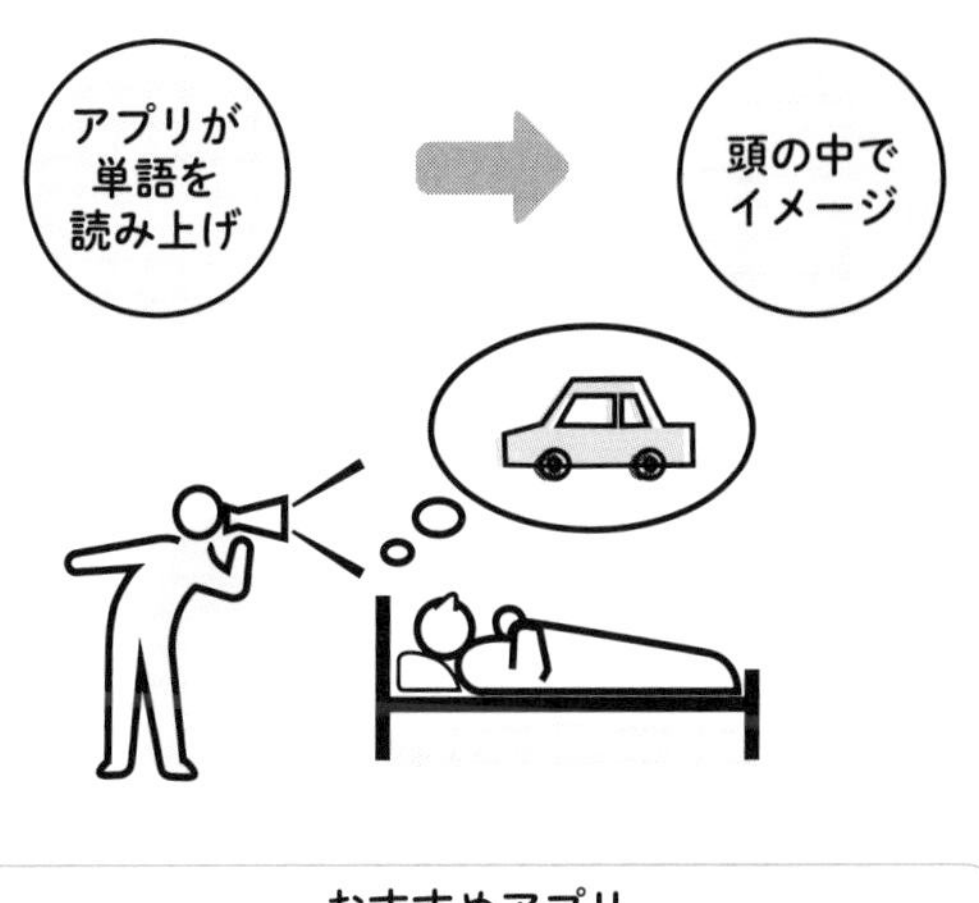

おすすめアプリ

マインドシャッフル

認知シャッフル睡眠法

App Store のリンクはこちら

仕事・勉強モードが止まらないタイプにおすすめの本気コースベスト3位

「歩行瞑想（家の外バージョン）」

お手軽モードでは家の中での歩行瞑想でしたが、本気モードでは**家の外での歩行瞑想**をおすすめします。家の外なので、歩く場所に注意が必要です。

最も仕事モードが外れるのは、少しでも自然があり、車や自転車などの危険がない場所です。そういった安全な場所で前半は「足の裏」に意識を向けて歩きます。

5分くらい「足の裏」に意識を向けた基本の歩行瞑想をした後は、意識を外に向けて「景色」と「音」に意識を向けて、5分歩きます。

これだけで全然感覚が変わり、ほぼ仕事モードから切り替えることができます。私は在宅ワークのときには、必ず外に出て歩行瞑想をしてオフモードに切り替えます。

同じくワーカホリックかつ在宅ワークでなかなか眠れない方には、家の外での歩行瞑想をしてもらうことで、確実に不眠が軽減しています。

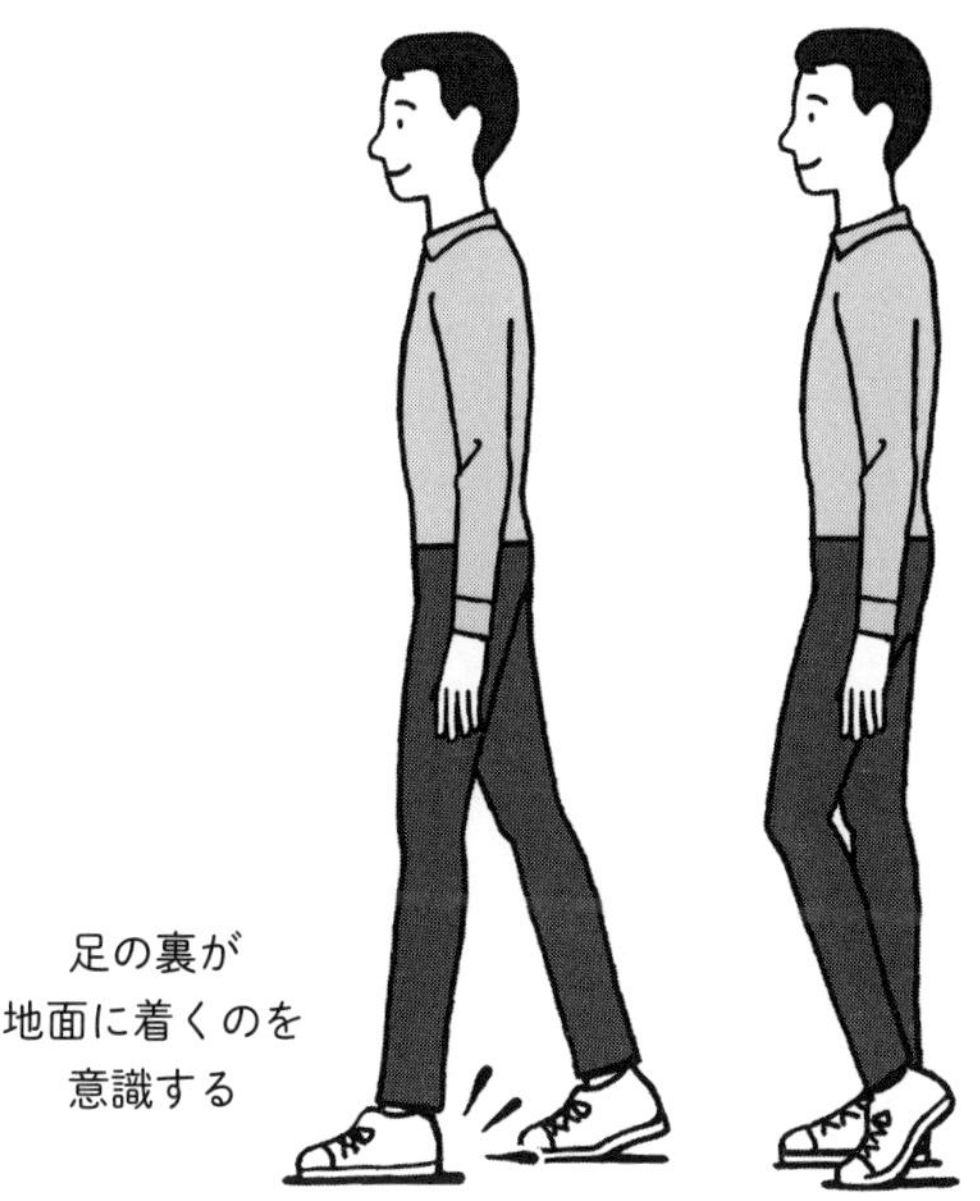
5分間
歩行瞑想をする
足の裏が
地面に着くのを
意識する
足の裏が
地面から離れるのを
意識する

意識を外に向けて
5分歩く

コラム

「環境設定習慣術」

いよいよ習慣術コラムも最後になりました。

最後の本当に使える習慣術は**「環境設定習慣術」**です。

意志力の弱い人が、意志力ではなく環境（人含む）の力をフル活用して習慣化を成功させる方法です。

みなさんご存じの方も多いと思うのですが、良い習慣も悪い習慣も、実はかなりの習慣は無意識で身についているのが事実です。これは「周りがやっているから」「目につくところにあったから」という環境による部分が非常に大きいのです。

ですから、極論を言えば「良い習慣をしやすい環境」を作り、「悪い習慣をしやすい環境」を作らなければ良いわけです。

これはどの習慣でも使われる方法ですが、環境だけに特化した方法が「環境設定習慣術」です。

ただし、準備に手間がかかるので、若い人や準備が苦手な人には向いていません。一方、今までいろいろな失敗や経験を繰り返し、仮説を立てるスキルや十分な準備ができる能力のある50代にはうってつけの習慣術です。

環境設定習慣術のステップは次の4つです。

◎ステップ❶「日常の動線によく目につく準備をしておく（行動しやすい環境づくり）」
◎ステップ❷「カレンダーに予定として入れてブロックする（スケジュールに入れることで仕事レベル環境まで上げる）」
◎ステップ❸「習慣をサポートしてくれる人を見つける（この人のために頑張りたいという環境をつくる）」
◎ステップ❹「報告する人を見つける（やらないと恥ずかしい環境をつくる。SNSでも可）」

ここで気をつけてほしい点はステップ❸と❹です。

人は自分のためでなく、「大切な人のため」の方が、はるかに行動変容率も習慣化成功率も上がります。

最後のステップ④に関しては、適度に心理的安全性があるけど、優しすぎない人を選ぶのが重要です。一言で言うと「優しいけど、ぬるくない人」みたいな人です。

優秀なコーチにこのタイプが多いです。

こういう人が見つかると、あとは物理的な環境設定はあまり難しくないので、どんどん習慣が身についていきます。

おわりに

人生の後半戦も「社会に貢献できる人」であり続けるために

このたびはこの本を手に取っていただき、ありがとうございました。

本書に書いてあることは「机上の空論」ではなく、実際に睡眠に悩む多くの50代の方々が「実践できて効果があった！」という方法なので、ぜひ読むだけでなく、実践していただけるとうれしいです。

この本を書くきっかけになったのは、前著『働くあなたの快眠地図』の編集担当である寺崎さんが尋ねてきた次のひと言でした。

「今、睡眠で一番困っている世代ってどの年代ですか？」

その問いかけに対して、私はこう答えました。

「うーん、20代と50代ですけど、50代がかなり深刻ですね」

「……じゃ、50代向けの睡眠改善の本を書いてみませんか？」


こんなシンプルな会話から始まったのです。

ただし、不安もありました。

50代の睡眠不調は主原因が老化であり、さらにその年代は「ミドルエイジクライシス」と呼ばれる、人生でもっとも不安や悩みが多い時期でもあるので、睡眠改善の現場でも改善意欲や改善率が低い世代のため、納得のいくノウハウを1冊の本にまとめることができるのか、とても心配でした。


私もこの本を出す時点で52歳。

まさにこの本の対象読者そのものなのですが、かつて克服した不眠症がミドルエイジクライスで再発しかけたことがありました。

そこでこの本を書くにあたって、自分自身や同世代のクライアントにいろいろ試行錯誤して、睡眠改善にチャレンジしました。

特に50代の心の問題や依存症については、マインドフル心理臨床センター所長の小林亜希子先生をはじめ、多くの方にサポートしていただき、今までにない効果のある知見をいただきました。

私はこれまで10万人を超える方々の睡眠改善をサポートしてきましたが、睡眠の不調は行き着くところ、「不安」「孤独」「依存」という人間なら誰しもが抱える根源的な問題に行き当たります。

ただし、この問題に最初から真正面に向き合うと、ほとんどの人が挫折しがちです。したがって、まずは誰でもできること、ほんの少しでも改善できることから始めていきます。

そして、この本にもあるように「睡眠環境の最適化」「睡眠圧を上げる」といった方法で、ある程度睡眠が改善したところで、メンタルより容易にアプローチしやすい肉体面のリラックスを目指します。そうすることで、ほとんどの人が挫折するメンタルへのアプローチの成功率が、数倍、数十倍にも向上するのです。

もちろん、重度の睡眠障害の方の場合、書籍だけで改善するのには限界がありますので、本書でご紹介した団体やサポートを活用されることも最終的にはおすすめします。

最後に。

本書のターゲットになる方々は、私も含め、「今後も社会に貢献できる人」でいられるのか、あるいは「社会のお荷物」になるのかという瀬戸際にいると、心から危機感を抱いています。

しかし、本書で紹介した快眠法則を実践された方は、50代のうちに深い快眠を手に入れ、やがて「社会に貢献できる人」であり続けることができるでしょう。

本書でお届けした快眠法則を読者のみなさんが我が物として、人生の後半戦を元気ハツラツで健康的に謳歌することができれば、著者としてこれほどうれしいことはありません。

角谷リョウ

【著者プロフィール】

角谷リョウ（すみや・りょう）

スリープコーチ
LIFREE 株式会社共同創業者
NTT ドコモ、サイバーエージェント、損保ジャパンなどの大手企業をはじめ、計 120 社、累計 6 万 5000 人の睡眠改善をサポートしてきた上級睡眠健康指導士。日本サウナ学会学会員。日本睡眠学会会員。

都市工学を専攻し、都市開発で当時最先端であった神戸市役所に入局。役所勤め時代に体づくりに目覚め、当時珍しかったパーソナルトレーナーをつけ、自分に合った理論的なトレーニングの有効性を実感。あらゆる有名トレーナーのメソッドを研究する。

役所を退職後、トレーナーとして独立。わずか 3 カ月でキャンセル待ちのスタジオに。半年でスタッフを増員して移転拡大し、2 年で 4 店舗と、このジャンルで関西トップクラスになる。神戸と大阪のトレーニングスタジオを経営しながら、自らもトレーナーとしてスタジオや企業で指導を行うエグゼクティブ専門のパーソナルトレーナーとして活動する。

これまで主に企業向けに「運動」「食事」「睡眠」の改善サポートを行なってきたが、食事や運動の改善とは比較にならないほど、「睡眠の改善」がメンタルやコンディションの回復につながることに気づき、睡眠改善に特化する活動にシフト。

認知行動療法や心理学をベースにした独自の睡眠改善メソッドによるサポートを行っており、1 回のセミナー参加で不眠症レベルの受講者の約 70%が「正常範囲」まで改善。4 週間の睡眠改善プログラムにおいては 90%以上が「正常範囲」にまで改善している。

「人は、強制されても生活や行動は変わらない」をモットーに、楽しくみずから自分を変えたくなるようなサポートを追求している。

著書『エグゼクティブを見せられる体にするトレーナーは密室で何を教えているのか』（ダイヤモンド社）、『鍛えていないと稼げません——身体づくりで生産性をあげよう』（WAVE 出版）、『働くあなたの快眠地図』（フォレスト出版）。

LIFREE 株式会社
https://lifree.world

働く 50 代の快眠法則

2023 年 7 月 6 日　　初版発行

著　者　角谷リョウ
発行者　太田　宏
発行所　フォレスト出版株式会社
〒 162-0824 東京都新宿区揚場町 2-18　白宝ビル 7F
電話　03 - 5229 - 5750（営業）
03 - 5229 - 5757（編集）
URL　http://www.forestpub.co.jp

印刷・製本　萩原印刷株式会社

ISBN978-4-86680-233-6 Printed in Japan

＼ 働く50代の快眠法則 ／

購入者限定
無料プレゼント

ここでしか
手に入らない
貴重な情報
です。

あなたの睡眠の質を爆上げしてストレスを激減させる呼吸法7選

PDF

人は生きている間、つねに息をしています。
そして、呼吸が睡眠に与える影響は計り知れません。
これまで睡眠改善の現場で実践して効果のあった、
睡眠の質を劇的に上げる7つの呼吸法をお伝えします。

このPDFは本書をご購入いただいた読者限定の特典です。

※ PDFファイルはWeb上で公開するものであり、小冊子・CD・DVDなどをお送りするものではありません。
※ 上記特別プレゼントのご提供は予告なく終了となる場合がございます。あらかじめご了承ください。

無料プレゼントを入手するには
こちらへアクセスしてください

https://frstp.jp/50dai